劉福春・李怡 主編

民國文學珍稀文獻集成

第四輯
新詩舊集影印叢編　第131冊

【沐鴻卷】

湖上曲

南華圖書局 1929 年 9 月 30 日初版

沐鴻 著

花木蘭文化事業有限公司

國家圖書館出版品預行編目資料

湖上曲／沐鴻 著 -- 初版 -- 新北市：花木蘭文化事業有限公司，
2023〔民 112〕
180 面；19×26 公分
（民國文學珍稀文獻集成・第四輯・新詩舊集影印叢編 第 131 冊）
ISBN 978-626-344-144-6（全套：精裝）
831.8   111021633

ISBN-978-626-344-144-6

9 786263 441446

民國文學珍稀文獻集成・第四輯・新詩舊集影印叢編（121-160 冊）
第 131 冊

湖上曲

著　　　者	沐　鴻
主　　　編	劉福春、李怡
企　　　劃	四川大學中國詩歌研究院
	四川大學大文學學派
總　編　輯	杜潔祥
副總編輯	楊嘉樂
編輯主任	許郁翎
編　　　輯	張雅淋、潘玟靜　美術編輯　陳逸婷
出　　　版	花木蘭文化事業有限公司
發　行　人	高小娟
聯絡地址	235 新北市中和區中安街七二號十三樓
	電話：02-2923-1455 ／傳真：02-2923-1452
網　　　址	http://www.huamulan.tw 信箱 service@huamulans.com
印　　　刷	普羅文化出版廣告事業
初　　　版	2023 年 3 月
定　　　價	第四輯 121-160 冊（精裝）新台幣 100,000 元

版權所有・請勿翻印

湖上曲

沐鴻 著

南華圖書局一九二九年九月三十日初版。原書三十二開。

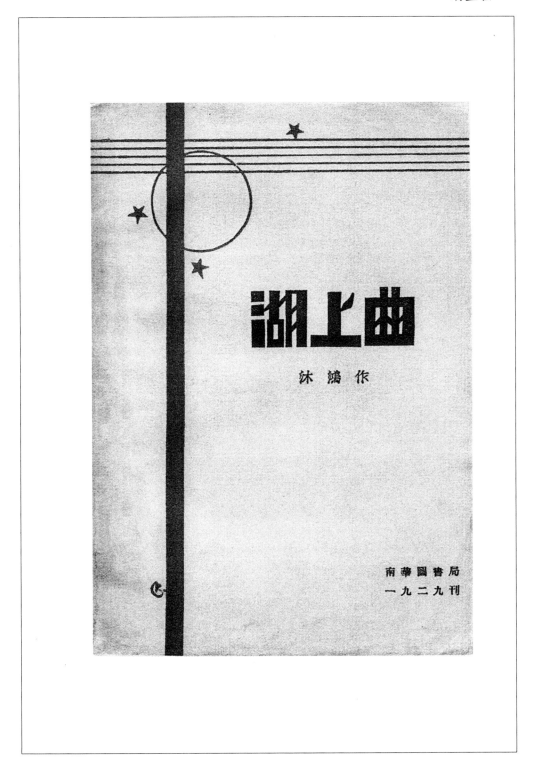

湖 上 曲

沐鸿 作

1929, 9, 30 初版

1──1500 册

湖 上 曲

每 册 實 價 五 角

湖　上　曲

序　曲

夜晚來——捉着青灰的夜呵，

我正在一個已往的鼓動的夢裏游行：

我的脚下是踏着兩條路子呀——

一條叫紅色的爭戰，一條叫紅色的愛情。

　　有人列我於撒旦之羣，

　　也有人呼我爲救世之星，

　　可我所有不祇這單調的名號呵，

　　因爲我的心兒是我也莫名。

　　只是那老時代給了我苦悶和創痛，

　　未來的夢想又給了我向慕和追尋；

2 　　　　　　　　　　　　　湖 上 曲

　　　我便是人生中一個奮戰的孩兒呀，

　　　我不能禁拒我的一心兒跳動。……

　　　雖昨夜的爐火已熄，東方却尚末明，

　　　雖今朝的大夢剛破，鷄聲終未聽聞；

　　　說甚麼戰爭呵，並甚麼愛情，

　　　我便是在這里呀，已度過了一般暴風雨

　　　　的生存。……

在戰爭裏我發瘋過一百次了，

在愛情裏我也一百次發瘋，

正是愛與戰的雙翼呵，

會自我的脅下橫生。

　　　至不能忘的是伊人的多情！

　　　更不能忘的是湖山的雄影！

　　　伊人呀湖山，湖山呀伊人，

　　　她們雙雙地結了我的終身夢！

我也曾拚命要賣頭兒在爭自由的惡戰中，

我也曾拚命要飲她唇邊的愛酒於無盡 ——

可不正是人類的榮光巳都在我的脅下翼生了

　　呵，

可不正是我的一生呀，要享受到盡！……

是湖上舖張了我的英雄的夢影，

是伊人更充實了我的戰爭心！

跨馬背刀呵，我叱咤過當代的梟傭——

梟傭們都視我如眼中不拔的金釘。

　　爲愛情我也幾乎忘了戰爭，

　　爲戰爭我也幾乎忘了愛情，

　　可最後我是一手雙提着牠們了——

　　我鑽入了人生的頂心呵人生的頂心！

爲人類，也爲了自己心，

爭未來的自由，也爭當代的生存——

據湖山，他官場的奴傭們呵，

曾幾度給了我的開心！？

4 覇上曲

便似此我過得了一段壯美的生存，——
而今的牠們的殘枝敗葉猶傷我心！
在我的心中刻下牠們不幸又不磨的明文了，
我可否帶淚讀給我的同情者一聽？……

一個人的悲歡也等一時代的廢興，
請你們吧，朋友，至諒的朋友們呵，
莫向他爭論甚麼新價與舊值，
強逼他歸入於你們的森嚴的批評！……
但是呵，衣他以善惡的冠裳，
菲他於新舊的墳塋，
都由你，都由你們優處的高士們　決定
吧——
他祇有還你們一個痛心。

*　　　*　　　*
*　　　*　　　*

大夢未醒？大夢還在濃濃？
夜晚來，我止不住我心頭的痛震！

從心頭的痛震裏，我試寫出一段長曲呀——

這一段長曲，又能否止得我的心頭痛？……

正是呀，這也許變成了一段罪惡的明文，

這也許變成了一段人類史中的美的歌頌！

可是我何畏又何求於這一切呵——

只他個湖山和伊人呀，我永古難於忘情！

　　　　　　　　1928年12月。

一

剛正午：

陽光灑落自青天頂，

滿地通紅。……

湖心有心迷惑人——

迷了我個呀，草澤英雄！

我原本是一斯文人，

"粗魯"不是我的小弟，

"飛揚"也不是我的老兄。

只以那月夜裏起了風，

風捲火焰怒目橫行，

便有一萬隻狼牙金箭呀，

橫射豎穿飛入我的夢。

我在夢裏被人殺了——

我又在夢裏慶復生：

一老翁，撚鬚兒，似個冷靜的說敎者，說：

"我傳給你千日夜的魔法受用！"

是他垂着銀白的冷淚又顫聲兒說：

"此世不平呀，此世不平……

"此世塔尖上爬了超殊的幾隻大蟲！

"而裝壓踏，被嚼吞了的血肉，

"才是我們的呀民肺衆心！……

"你報仇！你雪恨！你——

"你少年人呀，你要作救人類的戰爭！……"

是我的心兒聽得怒動，

是我的心兒呀，怒的如血花般紅；

誰知道這人間的錮疾竟有這萬丈深，

我一介書生呵，也須手提單刀跑入殺人陣？！

是我想，是我一心誠一心呵，想：

"天呀，這人間地獄，這般陰森森！？……"

8   湖 上 曲

是我的心兒更抖動，是我的淚兒已消沉，

是我的臂兒將展飛了呀，牠可能逸出這鐵的
　　囚籠？……

"是了，是了呵，我人類的榮光呵，

盡抓死在這幾隻大蟲的爪中；

我人類的靈魂呵，

盡幽囚在他們鑄下的鐵牢中。"

我願報仇並雪恨，我願報仇並雪恨！

因爲我的心呀是這麼的已經難忍！

我便將懷抱着這一顆無名白熱的心兒，去了
　　呀，

去與他些個禽獸們抗爭！……

我已知道了，他們的惡極罪深！

我已知道了，他們的惡極罪深！

老天是見證：他給了我一顆愛心！

心！這顆心兒跳跳動！……

我手，手提殺人刀；我心可不抱救世心？

湖上曲   **9**

那老翁，那老翁呵，他說敎的聖音裏，

才眞洩露了天心，才眞洩露了天心！……

作甚麼水上兵警，

信甚麼王八龜子官人，

我不如駕着風呵，如乘觔斗雲，

一轉身，一硬心呵，

撇開了湖畔，衝入了湖心！

那湖心，驕陽正射着通紅，

牠可有心呀，收容我雄心？

我將把鋼刀飛來飛去也，

好像當面捲來平地風，

有火，有光，有血猩，

湖山捲作一紅氛……

是我的寶刀兒快，

眼也明，脚也飛動，

是我的心頭狠，刀頭更狠——

怕甚麼殺刈不了我等呵，

10　　　　　　　　　　　　　　　　湖　上　曲

那些個衣冠的畜生！

我將博得大利勝，

我將赤染了一身；

刀頭污垢積血塚，

葬埋盡大蟲的生命！……

　　　✻　　　　✻　　　　✻

　　　　✻　　　　✻　　　　✻

自古呵，官場如狗溷，

不記得那囘討賊功？

賊虜已平，魁已斬決，

我們的長官呢，也逃了——

逃颺在不聞不問中——

他那樣不聞不問！

他命我們死戰去，

自己却高枕着作着升遷夢。……

是我有勳功，

被了民衆們的大讚稱，

殺了兄弟們的大纛稱。

可我反從有功之裏呀，

得到了無罪的罪名！

他會說："你沒有犯法，

可是你將犯法了——"

這"莫須有"三字呀，驚死了我心！……

是我的戰績呵，太嚇了他們的小心？

是我的賣命呵，才真當償命？

只聽他的狗怒如雷動：

"不繳械來，殺却你這造反人！"

我坐落民衆的榮光的蓬帳裏，

才聽到了這樣官人的責問！

唉唉，這犬吠，這狼嘷，這鴞鳴呵，

不氣炸了我肺心！不氣炸了我肺心！……

正是，我個自來小孩子般的一心呀，

何曾知這般人間的魍魎陣？

我便怎能一刀梟來這狗種的首級呵，

12　　　　　　　　　　　　湖　上　曲

以消卻我的心頭的不雪的冤恨！

也正是，人類的厄運永沒得解救呀，

除了你還報這些仇敵大蟲們呵

以你的更大的兇狠！……

我於是一刀飛在篷帳頂，

篷頂破裂了，我高呼，"反了也！"

我的心躍動的似個猛鷙的飛禽；

我正欲極飛青天頂——

卻是地下的民衆們又呼動了：

"隊長呵，返來！——

沒有你，我們被官狗生吞！"

我的心乃一飛再飛，

從青天飛向地平，從地平飛向湖濱——

是我呵，猛想："我可不可入據了湖心？——

獨霸湖山縱橫？"……

差些兒呀我不一硬心！

差些兒呀我不一硬心！……

湖 上 曲   13

※   ※   ※
    ※   ※   ※

今朝呵，我旣已識破人間地獄夢，

湖山又那樣惹動我的壯志與豪情，

我便一躍身兒躍入牠的懷中去吧！

── 我插身入強盜之林！……

你人間的血性的壯士們，

你人間的被扎倒的勇敢的人，

隨我來呵！隨我來呵！……

要如風捲了落葉，沙沙成陣！……

我們將變作了這世間畸零之人，

我們也備將這世間的狼虎生吞！

在湖山，我們雖然是強盜──

在人心，我們將會是福音！……

二

是那日：

你有心，

你有情，

你在門前兒站着，

像一個白玉的雕影；

你閃閃地來而去，

你姍姍的如一片光影的悠悠動；

你以無影的純白的兩眼，

看上了我的赤心 ——

我的赤心！……

我幽靈，幽靈，湖上的幽靈！

你以無聲我腳步，

湖上曲　　　　　　　　**15**

　　傳遞你有情的心韻；

　　你苗條似一根茁芽兒，

　　剛出土而活在陽光中；

　　你短小，精明，似——

　　似那個最大的藝人

　　剛把你放出他的創造和幻美的手掌，

　　你便亭亭玉立於明空；

　　似那個——

　　似我心——

　　我的心純明，光净，

　　如玉，如空——

　　也似你，完美的美人！——

　　我還未把你看作有情，

　　我還未把你看作匹倫……

　　因了，因了，我無心無心。——

　　我才在戰場的核心！

　　我方是一條抗闘的兇神！……

16　　　　　　　　　　　　　　　棚 上 曲

我無心於嬌嬌滴滴的妙聲————

雖然你，你並未出聲。

你只是，來而往，往而來，

在一日的暮中的我的對門；

我的對開的門限上，你坐落，

你起伏，你完全訴出了你心！……

你告訴了人羣，

你低低聲聲地說：

"我愛那個人兒呀 ————

站立在對面的那個人！"————

是我便是那個人？

我自己怎知道這無頭尾的迷陣？————

又怎會投入了這無頭尾的迷陣？————

我如何會被昧蒙！……

是我無心又無心。

是你搖搖動：

心兒並影。

湖上曲　　　　　　　　　　**17**

完全有心呵，你妙人！

你妙人呵，完全多情！

是你輾轉在光陰的軟足下，

自晚前而黃昏，

你以無聲的腳步，

想步入了我心；

然你不能……

你心痛！……

你能貴的情絃，

彈不動了你的對頭人；

你高貴的心寶，

未售得了半文。

雖然你的香名呵，

早已驚動了四鄰——

我無心無心又無心。——

你以最柔脆的傷心，

最迴轉的斷腸聲，

18 湖 上 曲

最苦的，最神的，最幻美的夢，

投入我心──

可是我迷濛濛，迷濛濛，

未接受半分──

我無心無心又無心。……

我是戰場中人，

我方想殺賊快心！

我方想殺賊快心，

我的心兒怒的怔忡。

我的手臂兒，下垂，下垂，

却展飛如雲；

要從這些展飛下

撲獲我的仇讎快心！

我熾燃了心火如明燈，

我放寬了殺心似海平──

我的眼兒只有那人影：

那狗種，官人：──

湖 上 曲　　　　　　　　　　19

我的耳朵，

我捉不住呀，一聲和平的響鐘！……

便在此你遺失了，遺失了，

不幸永沉淪：不幸永遠圍繞了你的夢，

我坐在牛皮帳裏，發號施令，

你站在隔對的門前，孤伶，孤靜。

是我辜負了你了，

你可敬的愛人，你可愛的好人！……

在這里，我雖然也幾次見到你的妙影——

跳動而跳動的一條妙影，

正若湖心裏的美的夢；

雖然你幾次閃閃進我的眼裏，

如天上的幾朵彩雲流動——

然而我無心無心又無心。

我可知道你在你的美夢裏，

正要捉着的是那一個夢？

那個胡蝶兒？或者那一個强人？

20　　　　　　　　　　　　　　　　湖 上 曲

———呀,強人!假使我知道是

正在要捉我這個強人呵,

我可不笑折了我的腰股,

笑破了我的心胸?而且——

我可不便一手兒提你在心—— 在胸頭吻?

而且——我如實際動怒了,

認你作對頭,

我可不一刀梟割了你的黔首,

完結了你的嬌生命?

是我無心又無心,

所以你心痛又心痛。

是我無心又無心,

所以你走了,走了,

帶去了單思夢。

三

幾日間戰鼓傳來聲砰——

戰鼓敵不過你的極喊苦叫的愛者聲；

蔽不住你的呵——我們外愛的叫賣聲！

有人說："她病了，病了，爲了一個人！"

這般無端謠諑，惑亂了軍心！

這般的言語，可打動我心？

我眞的打動了：被了這奇聞！

我按下鋼鎗逼問：

"小弟兄，你們喁喁些個甚？

可是誰家貓子偸吃了誰家雀？

誰家的耗子打了盆？"

我得到的囘答呵，動心動心又動心！

他們說她病了，一個鄰家女孩子，——

活寡婦小青春！——"

我可不知道正是你這美嬌嬌的人？

"是呵，爲了甚麼要病？值得你們小怪大驚？"

我會問，"她是誰，誰個女人？"

"她是芳鄰！青春活守寡，一個美人；……"

"她爲了誰病？"

"爲了隊長大人；"

"嚇！胡說！我是隊長大人！……"

"正是爲了你呵，隊長大人！"

"嚇，胡說，謠諑不可亂興！喪了她的名聞，我
　　們何忍又何忍？"

"然而實在是……大人！"

"胡說，嚇，你們小人……"——

一個親密的兄弟突地對我耳語了，

他說是："是呵，是呵，我的隊長大人！"

我於是動心，怔忡而疑問。

我想：戰亂中的殘生裏呵，

可有這異樣的甜脆的一聲？！

"怎？不會有的─我未曾有心！"── 我笑了。

"她可有心！──她已心痛，心痛，害了單思病！"

那兄弟也笑了，──

"我才又溫和地一笑，說，

"這眞是個奇聞和奇人！……"

我的心兒微微地不覺地跳動了。

我倒可憐呀何這個活守寡的少年女人！

但我無心又無心──

我不過是個慈和的強賊看病的醫生。

"她說，她請你去，──"

"我怎去？民家的人，──"

然而我作假，我已經應許了那兄弟的傳語，

── 我願醫好一個病人。

正是，天有心，地有心，

你也有心 ── 我則獨無心，

24   湖 上 曲

一夕，黃昏，我跑上了你的門。

我趑趄了我的脚步，——

我收攝了一下我心：

我自問"我可能跳入她的家門？

我是强賊，我是官場的對頭人呀——

我可能貽害她，跳入了她的家門？"

但是何有心，你得着重病，——

那個兄弟催促我，用了他女子似的男子聲，

嬌嬌滴滴我如聞 —— 如聞見你的帶病的呻

　　吟！

"我不能害死一個無罪的人，無罪的女人！"

我想，我最後決定，

我便帶着我自作强人以來所未有的勇敢，

勇敢地跳入你的家門。

可我一見你便心兒軟，

我如泥，癱在你的臥椅中，——

我如病，罪惡的病，癱症了，在你的椅中——

湖 上 曲　　　　　　**25**

你也無聲，我也無聲，連天地也無聲，

連那個兄弟也無聲——

我不知道我來作甚呀，我來作甚！

可是你，你呀，我看見眞的有病！

兩葉膏藥的白紙，

貼上了你的兩鬢心。

那如兩朶小白蓮花呵，

婀娜搖展在光天下呵，

發放沌淨的光明。

你有病，我知道了，

而且知道那個奇異的原因 ——

奇異的株根！苗根！老根！

我知道你的心兒痛，痛，痛……

我於是低首下心——

埋沒了英雄的氣概和雄心！

我自問："她個可憐的人兒，你可能救拯？"

我懷疑我沒有這個力量和良心！

26　　　　　　　　　　　　　　　湖上曲

——唉，良心呵，提起良心使我也心痛！

我欲救你呀，我可不賣了自己命？

我賣了自己命呢，又救得你幾個落日的黃昏？

還不是洪水飄來，我們相共去浮沉？——

然而你這可憐的人呀，你當地——

便快沒了命！……

我便不能給予你刹那的定命安生？

永久呵，那何須計呀，

我便要決定我的心：

救起這當面的將死人！

於是，我便說話了，

當那兄弟跑去，遠離了我身；

我說："你可病？可病？你可病？"

我逼問着你這嬌嬌生生的人。

你羞紅的臉兒驀地牡丹的紅。

你不能無聲，但你不能出聲，

你祗是嗫嚅着，一陣陣紅暈更紅暈，

你的嘴唇顫顫動——

你終於有聲似地無聲。

你終於紅暈更紅暈，

低垂了粉頸兒——

低垂到心，低垂到心。

我可憐——唉，也愛呵，你這顆赤熱的心！

我的心，於是更番地怔忡而跳動了，

我不能不開言再問你，

我再說，"你為了什麼病？可真有病？"

你說話了："有病，有病。……"聲音似低抑的
　　　沉鐘，

"可是一句笑話太笑人，" 我便緊接着那沉鐘
　　　聲兒問：

一針揭破罪網陣，"有人說，你在為了我害病。"

我的心也幾乎怕炸了，我不該這樣欺侮一個
　　　女性，

可我怎可以不向你這樣問，你一個害着重病

的人？

你的臉於是更飛紅，

那沒有可以彷彿的一片飛紅！

那似是朝日初升海之頂，

那似是火盆盛燃了柴薪，

那似是我正在惡戰裏——

人頭帶血滾帶血滾！……

我心兒戰慄，屏息，無聲。

你的頭兒突地轉——

轉向背心——背後的陰森。

但是還有紅光從你的後心飛出，

那正是透了明的太陽之心！

那還是上帝的靈菁的光，

還存在於人類的心中，

你無聲，無聲，又無聲，……

震動，震動，又震動，……

自你的小屋裏，

湖上曲   29

放出遍世的光明！

羞日月，且羞我心！

你可是太勇敢了，太溫柔了，

太愛性了，太夢幻了，——

你大聲，如雷鳴，

你細聲，如無聲——

你說："沒有的事，我怎會爲隊長病？笑死個

　　　人！……"

可是你的頭兒爲甚麼仍不轉？

羞恥的嬌柔，可不還溶滿你心？

爲了甚麼你要作假，作假呵，

對了我個半眞情的人；

你的頭兒，爲甚麼老久背着呢？

爲甚麼老久低垂到心？

說一句響亮的話呵，已經說了呀，

可是爲甚麼還在心癢，心怔？

那羞恥嬌嬌的羞恥呵，還在濃？

你可是疲悶死了——

一顆心兒兩樣用：

不敢對人不敢對人呀；

對人提出你的愛情！？

可不讓這愛情把你悶葫蘆子似的苦悶？

悶葫蘆子似的苦悶？

是一聲，那兄弟頭上的咤吒，

他被了我的責問—責問到心，

我板着面孔說你這混人！胡說什麼誰爲了我
　　　病？"

是一聲咤吒，他轉不過環了，他責問，

責問你個無情真無情：

"你明白告訴我的，又賴作甚！"

你的臉，於是飛紅大飛紅，

如太陽之初自宇宙中冷凝，

如在白冰上放起了紅火，

如在佛心中發見了紅明－－－

你的臉，一片飛紅，漲紅，赤紅，——

美人兒的臉龐呵，艷過紅花的羣！

紅花的羣，小小的紅光呵；

你的是，你的是——

一片神明！一片神明！……

你於是說不出話了，

你羞得想從面前飛上天頂？

想從地表遁入地心——

但是你無能呀，你只是掛出一身羞紅，

似紅光之神，放出紅光，映照了我的全身。

我於此已不見你的嬌羞，

我已經移入神的夢，

我望見神靈，

我望見了你心！

我望見了光明，——

借紅光，我認識了戀愛的心！

戀愛的心！戀愛的心！……

32   湖 上 曲

　　於是我帶着我的生命的新的獲得引去了，

　　我巳經又一度再生——。

四

別離了你個夢中的人，

我扎起包頭— 白頭巾，

又衝入了戰爭。

我的身兒似一條蛇，

矯繞撲長空。

我的胸襟上的白花，

記號了我的一生：“強盜英雄”！

坐三更我便驚醒了我的清夢：

那一面來了戰號聲聲呀、——

撲陣去吧，我將如會飛的蛇龍。

我的武士裝，曾勾引了你的香魂的，

而今又去勾引敵人的驚魂！

34　　　　　　　　　　　　　　湖上曲

在湖上，我將作主翁——

人類的階級，一掃土平！

富人的搾取又何其多！

貧苦的同胞多少飄零！

高高地他坐在蹋位上的，

明目張胆的強盜們呀，

還自號官宰呀和甚麼賢明政治家人，

他們殺害了我們的壯心呵，

並人類普通的向善之心！

他們搗鬼作出迷人陣，——

不過也如久死的淫鬼，化身在路旁迷人！

我個草澤自稱平民者，難道不可橫行？

我個捉將官裏去者，可我不能捉官兒在湖心？

我欲報仇並雪恨！我欲抱此大不平！

爲人類打造一片紅心！爲人類打造一片戰心！

爲人類打造一片鐵火的心呵，

推翻了萬千年來的纍纍舊塚！——

湖 上 曲 35

我覇王湖心，我視着低眉蘆葦兒問：

人類的溫柔和順呀，可不如你們一樣麼？

被了斧刀！採作柴薪！"

我覷着湖心的映月呀，

我也向湖心天心問：

"你靜美的溫柔的處子呀，

幾度被了官兵的奸淫。"

那湖心，那天心，

天上的地下的美人兒呀，

答我不出的似，凄哀苦悶。

就如你的臉兒呀，奇女子芳鄰，

有了一時青灰的罩籠。

她們些個玉美人，玉美人，

空作夢——天上，湖心，——

好夢易殘呵，明鏡已碎，——

空守着幾副被蹂躪透了的屍身，

蹂躪透了的屍身……

36   湖 上 曲

我個人，我如愛你呀，有情的芳鄰，

我將使你大痛澈心——

我將使你撕了華美的首飾，

隨我去從強盜的軍。——在湖上呵，這水泊
　　中，

強盜的軍領呵，是我也是你——

你如愛我呵，你當心！

可不是湖心已作天上夢！

我們一雙兒要飛向瑤池王妃宮？

我們一雙兒強盜呵：

男強盜，女強盜，—— 湖上，水中，

大好的名聞呀，大好的名聞！……

五

是幾日不見了，我的心心？

我們的四隣已將謠詠興。

他們說呵，"隊長已捉住了蓋天紅！"

是的，你是此地的蓋天紅呀，此地的蓋天紅！

記那夜我巡行，

江頭上，暗波裏，走着的黑影幢幢；

黑影幢幢裏你走來了，——

正是一個可愛的妖精！

你抬頭望着我，低聲曼問：

可是隊長麼？" 你的心是說，"是不是你的情
　　人？"

你的伙伴都驚忙了，萬隻眼睛呀，

38　　　　　　　　　　　　　　　　湖 上 曲

從黑暗中向我輪似地命中。

從黑暗裏我見到光明，特別是你的一雙眼睛。

於是，你帶着光榮走了，

你的伙伴們回頭幾次望着我！——

你的這個我 —— 你的寄情。

我於是走到巷中 ——

我怕我的敵人官兵偷渡了湖心——

我巡視我的隊伍，

兄弟們都在飲酒高論：

一個說："隊長，少年，可沒個情人？"，

一個說："你擔心作甚？他已經捉得蓋天紅！"

於是一陣高笑起：

酒杯 —— 丁當，又丁令，

酒聲 —— 咕吞，又咕吞……

是讚美 —— 絕對的推情的讚美呀，

為了你，一個蓋世的嬌子，

我，一個蓋世的俊生！

他們讚美了，祝福了，……

一切代我們祈禱。他們有的是這等善心！

我於是走過了這些酒客的身旁了，

如走過了幸福的夢境————

我沉入暗夜的一條孤路裏——

我記起曾聽說過的你的令聞：

“是嬌嬌一女子，服了衆心！”

服了衆心呀，你個女中的豪傑，

人都被服於你的柔善的貌容，和你的柔善的

　　　心，

你的無限的多情呀，

再和那些無限的多情。……

也曾有幾個無賴想得你心，——

可是你無聊賴在此呵 —— 你不給予半個應

　　允！

爲甚麼你獨鐘情我個強賊呢，

一個殺人不貶眼的兇星？——

40   湖 上 曲

我便奇怪呵奇怪呵，我的這點絕頂的幸運……

六

又是一個早晨，

我的隊伍裏發出低低的耳語的羣聲。

我的耳朵聽着一種驚異狂喜的幽悠的言語，

爲我所不能懂。—— 這眞是些鳥語，

我在想：鬼作祟？狐作迷陣？迷倒了弟兄？

—— 可是戰爭又與？風波醞醸？

我不自覺心兒動：

可是一個兄弟向我報告了：

菱姑來了,她要你……"

他再不敢再作聲。

我眞作夢："誰是菱姑？"我問。

還不知道？她呀！她,你的情人!"……"這兄弟

　　　大胆說了，

我大惑這個報告，"甚麼是我的情人？"我問。

"便是隔壁那小寡婦——那個年青青的婦人！"

"好！"我明白了我笑着，"她來作甚？"我又驚
　　　問。

"她敎隊長有話說，——我們不能私聽。"

"是 —— 請她來 —— 但是我去好了 —— 你
　　　聽！"

"做甚？"

"……"我無聲。

"我可能？……"我自疑問，

"讓她去吧！我已經看見了她的一雙炎炎的眼
　　　晴！"

"不能！ 她說要你去她家走一趙 —— 不然，
　　　她……"

"好了，我便去的 —— 她要死麼？ 她眞是個無
　　　行的人！"我大笑了。"

湖 上 曲   43

又是一個早晨——

我們的湖畔朝氣醞醞，

清新的空氣裏還沒見鳥飛魚泳；

我正安睡在草莽的營柴，

咻咻地作着飛虎之夢——

可有英雄之敵撲進我的柵門？

我們在水上鬪爭——

血染湖水紅——

咕嚕嚕人頭吞水聲——

沸騰了，赤滾了全個湖心。

是我的一條血身兒呀

安臥在湖心的舟上，瞌睡垂首地看——

船兒也靜眼發愕，——

都瞪視着湖心。

那湖心，正如我的心，

殷紅殷紅且殷紅——

殷紅之外無別樣色韻。

44 　　　　　　　　　　　　　瀨 上 曲

是血營養了牠的新生命？

是健兒的生命都在其中！……

我狂喜，也猶作夢－－－

正不知大夢在何時醒——

是特剌的一聲特剌剌，

我的睡門兒鎖開，——我的寢門兒大開，

闖進來的是你這個寃家人！

大淸晨起你可來做甚！——驚了我的夢！——

莫非你被了誰的欺凌？你個嬌小的美人？

我醒臥在臥寢，衣衫未着，赤露一身，

你可羞呀不羞，一個女子闖入男子的臥寢？

我不禁驚訝心兒動，——也特可驚呀，你這超

　　　羣並多情！

"你這個人呀'我的心兒想，"你這個混人！"

但我的歡喜也如雷動——雷動在心。

你亭亭玉立呵，進門來好像是冰柱子，　　—

爲甚麼門外呀，只聽你叫得"隊長！"一兩聲"

"隊長！長隊！"我的夢被你叫聲驚醒了，

你的叫呀，柔脆而剛健，似細柳婀娜的擺風
　　　呵，

又似長風之呼厲而行。

我早聽見是你的聲音，我也想見了你的貌容，

——有甚麼大清晨起呵，逼上一家強盜之門。

我想見你個荒唐的怪誕的一顆柔心！

闖進門裏來，憑了我的雙手開了鍵鎖——

"那是一個怪靈！"我初看見是你時呀，證實我
　　　的思想。

證實了我的驚悸的一心！

"可憐呵！可憐她呀，菱姑！隊長！"

這些的往日的頭目們的甘言猶撲跳在我心；

而今呀，我是在親眼看着了這個可憐的人！

你，菱姑，我的幾乎未曾愛過的人，

你今之來呵，太帶來了驚異的愛情。

你良久玉立，良久後，頭垂腰折似細柳之搖

46　　　　　　　　　　　　　　　　　　　湖上曲

風，

你的臉兒蒼白地映明，如蠟紙呀，貼上了我的

眼睛，

你不語，站着在我屋裏的一角，

你無聲無韻的一雙眼睛發着楞。

你帶來了奇異，你帶來了我們的疑問。

我不知在我眼前的，是個甚麼世界，

這般迷濛混沌的美妙清新？

我問呀，我要問你了，請你爲我說明：

"甚麼鬼指使了你來，甚麼風推送來 你的脚

踪？"

於是你可怕的一驚，你作僞地你縱橫說了，

"隊長呀，"你的眼睛假驚恠而眞熱情着，"隊

長呀，

人們在造我的謠諑，惡言亂興。如波濤，

已近將我們吞吃了——你，隊長，你可知情？"

你的言詞多巧妙！多玲瓏！多大胆！

湖上曲   **47**

多有無畏的精神！多有無畏的精神！……

你的嘴唇邊，珠滾玉潤——

你的聲音呀，如響絃的中節而鳴。

可是我被不了你的欺朦，

因為——憑我的一心呀，

已經識透了你的一心！

而且，多麼可笑呀，可憐呀，可愛呀，

你的作僞的撒嬌的面龐！

我已經識透了你的一心，

我便將跟着你的妄言，順理成文：

我說"心玉清，志玉清——

我們沒有踏了佼神的影子，

此心可質神明！"

菱姑呀，你個作怪的人，

聽了我帶笑的報還你的僞言，

你可也心兒笑得跳動？

是你說，"不行了，謠言如波興，……"

我便說"那怕甚麼,我們的乾淨!"

我們外面都迎笑,中心實驚怔,

你便再說"我不要緊,可是隊長爲我丟了名!"

我也便再說,"我那怕丟名——你祗說,心平
　　靜!"

可是你三翻五次地道歉,臉兒蒼白又緋紅,

臉兒蒼白又緋紅——身兒呀,

身兒搖戰又假鎭定,

身兒搖戰又假鎭定,——

我知你的心兒呀,——不甯不甯又不甯!

可你便再說,"我真不能……"你的頭兒低垂
　　了。

呀,呀,我可不知道這"不能"爲了甚?

可是你的臉兒已經又緋紅,

淚珠兒已滿噙眼眶中。

你的身兒顫顫呀心兒大跳動——

我都如看見了你的肺心!

"可是，菱姑呀，"我不得不粗直地責問你了，

"你爲甚麼這般心痛頻頻？人之言不

有如東風？——你愛我麼？到底你心痛？"

你於是驚喜如望見天外的月明，突然間

隈向你的懷中！你於是緊抱着這一句

甜蜜的疑問，緊抱着牠緊緊地在心！

可是你也便如急矢般飛快，

擲出了你搞心的焦慮的疑愛的問，

你的眼兒如流星，流星上綴滿了光的疑陣，

光疑中充滿了火的愛情，

愛情中又滿臥了病的呻吟，

你可怕？你眞怕！你的一句柔脆的言詞，

可將關開了我的愛心？可將驚退了我的硬心？

你可將得到的是甚麼？——是如意？是"完

　　了"

的浩歎的一聲？是羞恥的無可納容？

然而你勇敢地嬌柔地，自你的飛閃的眼下，

顫抖的嘴中說出來了呀：

"可是你不愛我呀！我又奈何你！"

你的呀，你的呀，這一句，這一聲呵，——

這一句一聲下，你的臉兒紅，心兒更沸動——

我如聽見了一個痛苦者的呻吟求救聲了——

你正如，你正在，等待一個神明的降臨？——

你的頭兒向上高看，可我正在對視着你的一

　　　雙眼睛。

你以為有神明……我以為落魔陣，

你在等待着接受一個賜福，

失望時你會死去麼！你人？

可我便立地擁抱你了，如狂風之捲大浪。擁抱

　　　在懷裏，心頭中，——

你的頭兒一滾，吃緊地滾入我的胸脯，——乘

　　　風而浪興；

你的亂髮似飛蓬，清晨猶未妝理的蓬蓬，

你大痛澈心，你大快爽心，你大哭放聲——

大哭得如大雨之傾盆，——

是我用了無囘答的言語 —— 愛的眞使呀，抱
　　擁呵，

得了你的心！——我未曾趕及囘答你的疑問，

可憐地我已抱你在心！你未曾再受我言語的

囘答，你已得到眞愛寵。你撲入了我心！

撲入了我心！撲入了我心！……

你嬌柔的似水，一池綠水呵，也似我們湖心，

嚶嚶啜泣在我胸頭，臉龐兒如出水芙蓉。

似那湖心呵，絕似那湖心！

你的心腸已雷鳴般暢快地發響，

似洪濤興波在湖的中心 —— 這暢快的爽然呵

——我已救得一命，救得一命！——

曾記得剛才的言語，還有未盡，

你曾在談說了謠詠的亂興後，

說到你的一心——

此心呵，爲隊長，願効一死，可不願隊長丟了介

名！

我是被你的死嚇翻了，而且驚愛了你，

你又說，"人家空說呵，我們都實做去吧，怕

　　甚？！"

是你的剛健之心裏，我又看見婀娜影——

是你的愛情的心裏，我又看見了戰爭——

而今時懷抱裏這柔柔嫩嫩，這心肝，

這我的生平的未遇的多情！

你柔如一束花呵，一場小雨呵——

你嬌美的啼哭激動我心——

這清晨，太陽猶未放亮，

天地的朝氣，冷凝了我們兩心——

兩顆初愛的火熔的星！兩顆火熔的星！

你剛如波濤怒浪大哭了一陣，

我那時聽着，怕驚動上帝的早夢——

可是你太大胆了，我說，"怕甚麼呵！！我哭！我

　　哭！……"

你的頭兒滾在我的懷中，如飛龍又如飛篷，

我笑着說："可不怕驚醒了四鄰和弟兄？"

你又大聲，"我連死都不怕，怕作甚！"

你仍然亂滾，亂滾，哭得放聲——在我懷中，

我於是不得不完全贈予你以我的一切了，

我扳過你的低垂的頭兒來，嬉笑且誓情地說，

我並且在你的頰上用指頭擊了一下——

"不害羞呵，菱姐！我是你的！"

我如今已經是你的了，我會稱你，

第一聲我稱你為姐！

呵，菱姐呵，你已經滿意恰心麼？

可是你還在疑問呢？

你還不放心我的心？

你說，"給我見證！"

"是呵，我完全給了你我的心！"

你於是滿意了 —— 如雨後的天晴，

你的心裏，已貯入飽滿的平和的光明。

54　　　　　　　　　　　　　　　　湖　上　曲

於是我們的相愛結合了，結合了。

似電雷之與溫和的風。

你便是溫和的風呵，

我便是電閃和雷鳴。

我於是將出整全的愛，

送你出了門。"你的家裏，"

我們叮囑了一句，"再見呀，黃昏！"

七

從清晨以至清晨，
從清晨以至黃昏，
我的一心兒不甯呀，
我的一心兒不甯——
不甯似滾油之沸騰。
似滾油之沸騰呀，似野馬之狂奔 ——
我捉不住我心的樊織了，
我捉不住我心 ——
我英雄呵久動草澤心！
此世庵臢又污穢，臭燻了我肝腸了‘
熱伏了我的手足和心身。
然我並未震動，並未震動，

並未震動於一切，如震動於今朝的愛情！

今朝的愛情呀，我被捉去了——

如一個卑弱的俘虜的輕輕。

你輕輕的兩隻白的手呵，

捉着我去如捉得一個嬰孩之魂！

牠已顛墜了英雄的肝胆，

我已躺臥在愛情的一心！

我去也！我去也！黃昏去也！

黃昏來時我要去會我的愛人！……

　　❀　　❀　　❀　　❀　　❀　　❀

黃昏在沸亂中來臨，

她是個黑影的婦人！

她誘惑了我呀走上你的門。

英雄暫歇戰場夢——湖心英豪也多情！

這黃昏呵，如錠墨如藍青，

恍惚的，恍惚的，一個愛的導引人！

我飄搖在天的黃昏中，

披着燦爛的星光如燈火之在身。

我走上，我走上，你的靜悄悄，

孤沉沉的香閣的身旁，

我如一個鬼幽靈！

是剛才，我猶僞作巡邏行——

兄弟們頻頻報：“湖裏安靜。”

我如何會將這“安靜與不安靜呀”放進我心？

我的耳朵如不聞，我的一心只在你心中。

我耳旁嘈嗞嚶嚶，響着你的溫和美善的心聲。

我如夢，又如夢——不見你呀，我如在夢中。

我走上了你的門，喝一聲“兄弟呵”——

其實我低聲——“看菱姑在不在家？

你進去也，一行！”

我站在籬色外，那個兄弟似小鬼般出沒

便闖進了你的門。

我對籬色也如看見魍魎影——

我不怕牠們，可是牠們倒嗤嗤笑我了——

笑我呀，這個英雄，偸情來在一黃昏。

任牠們笑呵，我只有低首又下心——

我俯着首兒，躲避牠們的笑嘲的叢生——

我呀，江湖縱橫三百戰可曾害過一惡夢？

可曾怕過半個鬼神？而今是我害臊了，

臉龐兒發出紅暈—— 我不該呀，黃昏裏來偸

　　情，

黃昏裏來偸情！　處子之心你與我

——我猶是一個年輕的俊生！我從來還未作

　　情兒夢，

今朝呀，今夜的黃昏，我動了心，

我也被鬼魔們笑了，我的心羞嫩嫩。

可是不一刹明月已照離色頂，

高高的天呀，高高的月明！

似玉盤之昇空，似銀鏡之映人，

我照出—— 從這裏我照見我個英雄影——

偸情的，多情的，無能的英雄的俊影。

我可不羞麼？我的臉兒特皮嫩！

我叫一聲"月姐呀，你不要只顧向我撥弄你的

　　眼睛！

我可是爲了我的愛人兒，初次來一遭兒～～～～

一遭兒羞人的事情！"那月姐也好像知情，

她不十分難爲我，她悠悠地在高空飄地游行。

然而她也笑，笑的寒如水，冷白如銀……

從那溫柔的滑稽的笑窩裏，她飛出銀光的譏

　　諷：

她只笑而不言，可不是笑說：

"你這癡人，算作甚麼英雄？"

我也對她把頭兒低，脈脈地含了我的多情。

可我驀然聽見離色旁邊響，

是陣陣地來了脚步聲！

我已不見甚麼了——我的眼睛收攏來，

望着對面，遺失了全體宇宙和鬼神——

　　我只看見一妙影。

是你呀，我的姐，我的姐姐，

你蹣跚而來臨！

我正如再次覿面一幽靈，

精美的，和善的，溫溫似的，湖心的女神！

我的女神呀，我的心心！

你可知我此刻的魂兒已經飛昇？

是你呀，走來蹣跚似夜的影，

似夜裏的神女去私奔──

去私奔她的情侶！去拜訪他的戀情！

你也如月暈過天心──月兒正在你頭頂。

　月兒呀，她是跟了你來，並且監視了我們的行
　　　動。

她是那樣悠悠擺擺地抹過了竹林，

抹過你我的幽會的竹林之中。

她來了！你也來了── 我正在待等！

我個正在待等者呀，火熱的熾燃之心！

我們把晤了，你又無語，我又無聲，

然我不能沉默，我的心兒沸勁。

我於是親吻你，狂亂地親吻了你的全身，全心，

也似月光抹過了你，那般淨明和勻韻。

而我說，"今夜又不能和你同處了，姐姐——

戰鼓怕在半夜裏響——"

我多麼歎仄呀，我多麼擾心！

我緊緊地抱着你，如抱着一個夢。

我輕輕地離開你了，如離開一個夢。

這便算我們的相會，苗了芽兒呀打了頭陣。

我可不在似癡如醉的別離之途，

還聽你一聲"再會"！你多情呀，多情？

八

是戰鼓巳經響了，

是戰鼓巳經響了，明日個我的正午呀，

狡詐的陰險的敵人巳撲進我的陣中。

我單刀隻馬，呼喑一聲衆弟兄，

"入湖！定舶呀！佔據我們的終身！

對敵巳成死陣！不繳出槍枝，可繳出頭顱？

我們怎能容忍？ —— 我們怎能呀，容此不平？"

我一躍身兒入湖心，八百個兄弟們隨來如捲

　　　風。

"這八百里的湖山呀，

也值得住存我們八百個新世紀的隕星！——

星隕？星昇？星昇！星隕！ ··· 這，

還得看我們的感氛呀，昇隕！

一朝呀，天假我的大志成，

可不平吞了一世呀，

覆滅了全盤的敗根和敗種！

這雄豪的立腳，這偉大的志誠，

也得看我們的衆心呀，一心不一心！"

是羣衆的口聲："一心…一心又一心！

八百里的湖山作始基，——

我們前去呵，走向我們的大路的無終！"

我們已成鐵環套，金剛經，

沒有利劍和妖魔，堪傷我衆心！

今朝呀，分離了出囚的人類，污黷的宮廷 ——

明日個我便回程 ——

我回程時，看我們的世界呀，

還猶否和平不和平？

我以此志終此身！

我以此血濺狗種！

64　　　　　　　　　　　　　　　湖　上　曲

我以此必救此此 ——

我個呀，湖上的戰神！……

自從今朝落了草，

鄉黨之間驚壞了父老！

"他可不是強人性呀！——

他倒是我們的芳隣，曾有志操！"

可是你，菱姐姐呀，

我幾時才得再見你的花容月貌？

我個強盜之身已落草，

你的心情兒呀，

不如冰雨初下了？——

不如飛電大下了！？

九

是飛龍巳入海，似風虎巳歸山；

似大波巳起湖心， … 我正隱失到湖的中心。

我悄望天涯 —— 咫尺天涯不見星星影。

我可能上飛於青渺一望我愛者的故影。

從此我們各西東，從此我們得了究竟！

究竟呀，我心念你人，我不禁心慓兒亂動！

可是從此各西東，咫尺天涯呀，天涯咫尺呀，

你戀人呀，且暫歇了你戀的心！

我今踟躕江湖濱——

湖心之上一罪人！

有誰可，有誰可，誰可容我這顆強盜的心？

人將說，"那強盜，割來他的頭兒當酒杯飲！"

人將說，"強盜割來他的頭兒呀當溺器用！"

有誰可？有誰可呀？——

誰可認識我的心猶未半泯的呀，我的善心？

我可不便，將拿此未半泯的善心呀，

和舉世的僞者怒爭？

我可不，便將戰死於此一樣的怒爭之下了呀，

永久睡作人類的幸福的和平的夢？

可是我呀，我呀，我怎地得再近你身 ——

再親近我的愛人兒呀，一條神聖的心身？

我已絕望如臨盛宴之告終，——

我便將和盤取我和你的愛情共沉湖心。

我已經如此要做了——我是多麼剛硬的丈夫，

我乾脆地抗戰，祇爲了我們人類的再生。

我已經拚得起個人的幸樂的消沉，

如浮雲飄天，如酒泡減影，如花瓣之墮地心，

我已經不再存念你了——

我的多情的姐呀，多情的女神！

甚麼是愛情？什麼又是憎情？

我便是一個合一的破壞者呀，

合一的成功者——合一的一個戰神！

我只知有戰爭了呵，起在湖心，

落在湖心——終久完結了我的大夢。

似你的嬌柔呀，也會再次來臨？

來臨呀，不來臨呀，——憑你，

我可是不能再肯定了：我的手下風生。

我的手下風生的是惡戰，

不再是和平的愛情夢。

愛情呢，愛情呢，我完全讓牠永留你心？……

可是正當戰船飛，戰鼓號動，

為甚麼一隻小船兒上有仙子飛臨？

那是飛箭般的砲船，如蟻聚在湖心，

為甚麼當頭來了，衝來了一民間的小艇？

"站住！"我的舟師的兄弟們喝問，

一個白髮三尺長的老頭兒，便探頭出船來，

走上我的身邊：

"有你的姻誼來訪隊長！"他笑說了。

"可是我的姻誼是誰呀？"我眞驚愕。

"菱姑來了！"兄弟們已經看見了湖上美人，

我可不懽歡死了，想："來了呀，我的心心！"

"請上來，我的舟中！　你眞辛苦了呀，我的
　　人！"

我含笑說，你也含笑，

我高興的發狂，你陶醉地出神。

你說："我可不怕這些呀，我也愛湖山如命。"

可不見你臉上的嬌嬌笑容？

"你眞大胆！"我笑說，"從賊歸來，怎歸去也？"

"我便從你終身了，"你大胆地說，"湖心中我
　　們終生！"

可我的驚歡不上衝頭頂，下沉湖底心！

我俯身把着你的臂兒悠悠入夢。

兄弟們都驚異你的多情和大胆呵，

萬隻眼睛兒呀，歡樂地遍視了你，

正如衆星之拱着北辰。

他們已經不會忌恨甚麼愛情與愛情，

他們乃深深地心味變了愛情的神聖！

於是我們的湖，完全變成了新世界，

男女的愛戀，都由你作了啓蒙。——

他們豐富的生命呀，也像你我多情的多情！…

在湖心，我重見了我的愛戀，

在湖心，我重得了我的你人！

在湖心，我於是高唱了，

完全的勝利呀，"戰爭與愛情！"

可是你的胆兒眞大呀，

刀山劍林裏，怎飛出你一隻小小燕子？

你因愛情殉身？可不怕愛情未得身先殉？

鄉黨的針刺的惡批裏，你怎地爬得出呀，

湖上的砲林槍雨裏，你怎地鑽得進？

爲了一個我呀，盜賊？英雄？你棄捨得這樣乾淨？

你個勇敢的多情姐呀，多情的英武的女聖人！

從我來，有如燕子入了籠，

飛出籠外，此世永無日，此生永不能！

可你不正願正願呵，永葬我的心中？

可你正願如此呀，你個我的生命！

看飛雲，已飄天之東，

飛船兒急矢般在湖上流行。

"我的兄弟們呵，親愛的兄弟們呵，

我們暫歸湖心！湖心中要擺出大宴飲！

我已經從上帝旁邊接來了我的愛者，

我的愛者身兒勞頓。"

你的眼皮兒並未疲悶！

靈活的如電閃，

灼灼的似明星。

你個生命裏美與精靈呵，

我的愛情的愛情！……

你坐在船兒上，如個夢，

如個好的夢，照臨了我心。

你悠悠地坐着船兒隨我去也，

如一股溫和的風——

這風呀，完全吹迷了我們的愛戀，

愛戀低頭兒臥在我們心中。

你如夢，合眼兒，睜眼兒，半開半閉的眼睛，

隨我去也，去也，去入湖心！

船兒在風頂，風兒在船底下行。

我們乘船又乘風——

船是夢，風也是夢，人馬都是夢。……

你個神女已降臨湖心！——

我只有念着了呀，你的一雙半開半閉的眼睛！

......

✝

告訴你，我的愛人：

不見你時，我便衝入了戰爭。

是一日，兄弟們一聲報："湖邊竄來了官兵！"

如雷震，—— 勃地不怒了我的呀，一條殺賊心！

我的怒髮兒上指了天心；我不禁叱聲問呵：

"你們一些個明目張胆的欺世的大盜們，

也敢向我呀，這鐵石的冤對發來賣命人？"——

賣命人，賣命人呀，你們又不是白來賣命？

是我的刀頭，又何能恕你們的殘生！

你們帶來了你們主人的罪大惡深，

也借我的刀頭麼，給你們洗個乾乾淨！？

刹那後，我將求你們的冤魂兒歸去報知你們。

主人一聲：

便說是：那湖上的主人呀，正把他們歡迎的待
　　等；

可待等到何時呀，他才得盡割下他們的狗首
　　兒來，

給祭奠那些人類的被壓抑死的萬年的冤魂？

再說呀：他們的罪惡，只有他們知之最深，

可除非我的鋼刀插進他們頸項裏

也有否自悟自覺的一個時辰？

可我便不希望呵，有這麼個自悟自覺的時辰，

權力的古墓裏呵，早幽葬了你們的性心；

我便將不屈地要從墳墓中把他們的人心救
　　起，

借了呀，我這一柄殺賊不貶眼的鋼刀兒通明！
　　……”

“戰也！戰也！”我大呼一聲：“兄弟們，掉船出
　　湖心！……

74　　　　　　　　　　　　　　　　

在今日的湖心裏呵，我們也來次大快心！"…

號令如山勁，壯士的雄志生風：

剎那裏，數十隻戰船呵，

圍得一個湖口如鐵桶；

沒有一絲風露也；

敵衆一千被圍在核心

看你們個呵送死者，狗命那裏逃？

──可也敢來拼命？

是我們的刀山劍林呀，大海似的，

吞沒了你們個淵泉滾滾……

敵兵千衆似鬼縮影！

在這些縮縮的影中呵，

一個賊目出頭了：

他自號是甚麼站在人頭上的人；

是我喝一聲，"過來也！"無情地鐵震，

他便向我曲屈地打躬；

他便用些卑劣的巧辯，

想掩飾他的不磨的惡行；

是他說："寨主，我們是舊相識，好賓朋，

今日個狹路相逢呵，也請你寬手一鬆！"

是我怒震，我怒罵："你這畜生呀，惑亂聰聞！

我可是你甚麼寨主，又是你甚麼賓朋！"

是他還自謂是人類中的超殊的人，

他在給人類，護守秩序呀保安衛平；

我可怎忍得這兇獸背後的巧嘴呵，

來迷惑了我的明白如火的眼睛！

是我早看穿了他們的狗肺狼心，

平日個沐猴而冠地自稱尊崇，

到死時，到死時，又想掙扎出甚麼欺世之術，

贏得個皇堂的冠冕兒高戴受用！

這可不見得我反是人間的眞賊呀，

妄造了叛亂，又妄誣毀了聖明？

"可你這巧嘴皮呵，也值不得我一爭論！"

我只笑："你今日之來呀，也算惡貫滿盈！"

76   湖 上 曲

"綁了！"我一聲喊，兄弟們聲喝如雷動，

刹那裏千衆官兵呵，個個就綁我船中。

"殺呵！——先殺死這害民賊！── 再呵，"

我又號令了："再將這一千官兵呀，

取囘湖山，練作我們兄弟。"

是我很大利勝；是我們未染一矢之血，

收撫了千衆官軍。

我們殺死了那可殺的官賊了──

今夜的湖裏要大慶功！……

凱歌聲聲動，我們歸湖心，

湖心呀，也歡迎這凱旋的自由軍！

從此湖面風波將平，

將再無半個貓官狗吏敢來嗅我們的刀頭羊腥

　　　……

我的愛人呀，我的愛人，

請看我這壯擧，可稱不稱你心！

十一

是那日佼我們游戲到湖心，

砲艦上坐落了我們兒女英雄——

羞也羞也，說甚麼英雄和美人，

不羞煞天上月，湖中月，

我們心上的月兒影？——

搖搖月兒影，飄飄月兒影，

帶了我們的甯靜的夢並和美的心呵，

飄天——飄地——飄湖心。

是湖水，清清，淼淼，

凝溶又閃熠，好像一萬隻光明流動的美眼睛；

又好像銀絲兒在銀波裏呵，織着銀的錦——

又好像一個完美的銀色的光動的夢——

78　　　　　　　　　　　　　　　　湖上曲

我們上看天星，那個玉美人兒笑容盈盈；

是天星也在作着湖心夢？

天已罩上了湖的冠帔，

雲影重重，霧影層層，

流雲暗渡天之頂——

映湖心，影兒也動——

銀河似水，長臥太空，——

湖心亮如帶——光虹；

——而船上，人間呀，湖天的當中，

坐着我們兩個英俊。——

是你的臉兒上光閃動——光閃動，

飄然的神之容色，並立了湖天三角的爭籠。

你神人！你神人！湖上的天下神的戀人！

你上望天，下望湖，又望我倆的心影，

有神妙的不測鼓動你心靈：

"是强盜？是情人？是天心？是太平？——

是一雙兒女的精靈的心兒呀，還舊精靈？——'

又記那日，我們相距二十里外，隔了村，

你個溫柔的脚步兒呀，一直邁行！

從東頭！到西頭，從日出走到黃昏，

你一日而兩次向我來訪問——

可是你的脚步兒剛在落下，

可是你的脚步兒便又要啓行——

你的脚步兒呀，才使人心愛，心痛又心驚！

問一聲："爲甚麼你這樣匆忙的來往？

爲了甚麼來？而又爲了甚麼去？

一日兩次行呀，你可有心？有甚麼心？"

便見你的笑容呀，盈盈，不語笑盈盈，

你的言語多少簡快呀：

"我要看看你！你的面容！"

"不看見我便不成？一日兩次，也太多情！

我笑了，我看着你個可羞的人，

可是你不理會我的——

你的笑容完全是一個溫和的勻淨，安靜。

80　　　　　　　　　　　　　　　　　　　　湖上曲

呵呵！這個溫和呀！這個勻淨安靜，

便全盤象徵了你的一生！一心！

你一生不會怒，你一心不會恚恨，

可是你大胆也如天神──大胆也如天神呵！──

莫有你的大胆呀，你怎會作了強盜的情人？

你完全一個新的太陽的象形：

你無處不流露你的溫和的光，

你無處不行以甜美的步子呵，

你所踏過的世界，便成了有韻有聲──

似一個由死裏轉生的音樂的心影。

你大胆，你多情呀，一個完美的星辰！

你見血腥不變色，你處之雍容──

你身住戰場中，心兒也甯靜──

一切精緻的計較呵，我聽從我的耳鳴處飛來，

如一個不破的玉律呀，自從你心出從你心。

可你只知情愛麼？你又不是一個全肉的人！

可你也不喜歡取笑樂，取開心，

湖上曲　　　　　　　　81

你只是甯甯靜靜味着神的夢——

可你已經完全了解神的夢；

並且也已行步？行步在這夢中。

人生如是呀，愛戀是萬年的新的生命！

你何其安閒和樂，處一切如處自己的一心！

你已得了衆弟兄的心，衆鄉里的心——

你又能丟掉整個世俗，來作湖上強盜婦人，

而且將來你會和世人對證！？唉，對證！？……

你在湖上溶溶行，天上的光，湖上的光，

都是你的心影。你對我只是一顆心，

便是天地間那顆情心——溫和的溫和的神心！

十二

開花兒似的我們的心，
滾泉兒似的我們的愛情，
當你的拜訪來時呵，
當我們的幽會相送。
一個强盜的心雖是鐵呀，
一個美人的懷兒却如春風。
當我喊一聲"來也"！跳入了你春風的懷兒裏，
那春風便蕩漾起皎潔的雙翼了，
連我的鐵的心兒也着翼飛行。
一場佳會可需多少時辰？
昨日的黃昏已去，
今日又當這剛陽正午中。

是我說："人兒啊，這一刻的千金，——

這千金的一刻呀，何時送我們同歸無影？"

是你便蹙眉兒詛咒我奏了不祥音，

你說是："天長地久，都同此千金的一刻呀——

都同你我心！"

可你是在懷想我們的醉顏的生命啊，

牠們會享長春的花開鳥鳴的春韻？

可是——你的脚兒自何處來也？你知道麼？

你的身兒呀，又不還枷鎖一身？

誰奈何你還有那樣一個名義的丈夫啊。

你"妻兒"的重縛，又怎脫自那"丈夫"的兒繩？

只特因了你大胆的剛猛，大胆的剛猛啊？

你一時才丟棄了愚妄的詆毀，

和脅威的逼問。

你獨往獨來於我們這奇特的幽會裏，

又誰可預言得啊：

這幽會不被一場暴風雨沒吞？

你為甚麼只默首兒巧笑，巧笑嘻嘻呵，

不把這件事兒當心？當心？……

是你說："割頭兒不過頸間留一片血紅，

鐵窗裏正是英雄的老家門。

可此生捉不着愛人的好情兒用呵，

也枉活過了這蜂飛蝶舞的三春！"

你的言詞兒多英俊！

你的胸懷兒多從容，

誰識你一個怯弱嬌生的女孩子呀，

才正有這豪情暴力活像我英雄？

我們勇敢地生活吧，我們勇敢的生活吧，

這真是千載一時呵，這真是一刻千金！……

但正當我們的撫抱溫溫煦煦，

却為甚麼遠地裏送來雜遝的步聲？

是春風刮動郊原的香草麼？

是鐵蹄之敵已逼我寨門？

你探頭窗外呵可望見些甚？

湖上曲   85

呀呀，是不是湖水又發來把湖堤衝？——

你豔紅的花容呀，爲甚麼突地變——

突地變了蒼白朵朵的花容？——

那不似紅的雲裏飛出白月明？——

你爲甚麼嘴唇顫，語不出聲，

兩隻眼睛的瞪白裏，浮現驚怔？

可怒恨又轉出在驚怔的眼光下了，

白眼睛驀地又變作一片血紅！……

"是來了强敵呵？是湖水風波橫興？"

我不禁也魄兒驚訝，心兒聳動。

可你便一句驚人了："我的獄吏來也！"

——"你的獄吏呀，"我抬頭兒遠望，

"是誰呢？—— 可不正是你丈夫的父親？"

呀呀，他帶着一羣不要命的義師來也，

他的來，可不是將我們一對姦情者捕尋？

正是呵，你觸犯了人間的鐵的綱常和紀倫，

是你又，把聖賢相傳的名教的高牆推隕；

86　　　　　　　　　　　　　　　　湖　上　曲

　　可今日，便是在這"眞人心"與"假道德"的戰
　　　　爭之下呀，
眞對假，假對眞呵，也看個誰輸誰贏！……
他們來也！護敎的僧侶似的惡漢們，
看對頭，也可知有這叛亂者是鋼胆鐵心？
我便是已嘗遍了大戰場的血腥味了呵，
可我還未曾一嘗呵這小戰場的辣辛！
爭帝皇，爭五覇，爭朝代的繼承，
這斑斑的狗血污爛的史紀呵，
我都眼看得如熟讀我手中的戰文；
可今朝我反應轉身投入民間閭巷下了，
是民間閭巷裏呀，才有這愛情的爭鋒！
我也來搖身一變吧：湖山上的豪客，
一時變作個鄉閭下儂情的趣人．
戰便戰，打便打，殺便殺呵，
我可不死於大戰場百萬雄兵的圍中呀，
才怕死於三五毛賊鼠輩的鎗頭中？

走你呀，我的嬌人，請去吧，

用你的安祥的步兒，躲在離芭蔽影中。

我可將要看一看來者有幾顆頭顱了，

又有幾顆頭顱呀，夠得我刀頭受用！

你隱去了，如失去清夜裏的一月明，

這剛陽的正午，突地變來暗昏；

是我和他們的戰鬥將起了——

是我的心正這般兇怒囂鳴⋯⋯

門兒響，敵衆已經迫臨，

我孤守着我們的香屋呵，

如猛虎負隅地等待。

我待等這般三秒後的骷髏們呵，

紅的笑，白的齒，都泯滅於我的刀鋒！

特刺刺，門兒開，轟咚咚，壁兒破崩，

敵人的長矛大劍呵，已向我們的香屋逼近。

是我在閉着門兒，徒手待等，——

我只待喝一聲呵"毛賊們"！

我便要越窗突而跳蹤。
可是敵人的喝聲反來了，他們大聲喝問：
"是英雄，敢開了門兒出來鬥殺麼？是英雄？"
原本呵，成驍悍的英武的流風呀，
早嚇死了他們心——
他們只得站在門兒外虛聲嚇問。
可我怎能受呀：這一羣站在門兒外的
小人兒們的屈辱挑罵聲？—— 我怎能忍？
我便一手把我們的香屋的門兒開啓了，
我身兒躲在門的背心。
一條長矛似風——
似飛蛇　　似飛蛇帶着白光呀，
猛快地一擲，便穿入我的腰圍中——
可是我，我眞感謝這一條飛矛了呵：
牠的舌已握在我的鐵掌裏，
我的脚已踢翻那個無用的送械的小人！
是我便舞動這條借來的利器呵，

跳出門檻外，如怒虎將綿羊撲吞。

我呵，看我呵，看我個兇神的下界呀，

不打他個天翻地崩！

不打他個水流花生？」……

屍身兒已滾滾倒了，從樓頭墮向樓底心。……

一老翁，白髮眉兒，壓翻在衆屍之下——

他可不太受了驚怔？

咳呀呀，他正是的丈夫的父親呀，

他正是名敎的父親！

是我不忍一矛穿了他，

留他個殘生僅保了殘生！

是他的伙伴們都已倒亡，——

護敎的義師已覆滅無影。

且留他，且留他一個老身首兒在呵，

好笑的，好笑地把那個名敎的旗旄兒高撐！

這一場戰鬥也少少怕人：

我徒手殺死了十九衆，

90　　　　　　　　　　　　　　湖 上 曲

是他們昨夜，不知作了甚麼冤枉的惡夢呀，

要把頭兒來送在我的手中。……

激戰已畢了，

我的明月呀，愛人——

出現吧！——

我們可不還在這剛陽正午中？

十三

又是一夜，夜靜月明，

湖上的風光似畫景。

我獨踞在船兒頂，

撫着琵琶而咏心。

是滿湖的蘆葦都點首兒歌吟，

合着我的琵琶琤玲的節奏呵，

又和着湖上緩急的輕風。

我的船兒飄去也，飄去也，

飄飄地飄入澄波湖心裏了，

又飄入蒼莽的蘆葦叢。……

隨船行，隨船行，我的琵琶兒呀，

大好的聲韻，也四墮湖中。

湖水接受着船身兒的衝擊呵，

又接受着琵琶的聲兒抹勻，

看牠呀，是何等的盈盈迷迷的欲笑，

波紋兒顫抖 ⋯⋯ 似美人兒臉上的波紋！

那蘆葦，又祇是束倒西歪的，

笑嬉的個頭腦兒搖搖不定。──

也慚了我的絕藝驚動了一切的心！

問一聲，你假寢者呵，我的心之心，

爲了甚麼你不熟睡在船艙裏，

却探頭兒出來了？── 你在探望些甚？

可你會謊說麼：“在探望天心的月明？”

但是你那雙光柔的眼睛呀，

爲甚麼又祇注視了我的一身？⋯⋯

我的有情人呵！我的有情人呵！

初戀的蜜月裏，我願你來把琵琶聲共聆！──

把琵琶聲共聆，通澈了這永夜的湖心！⋯⋯

是你便悠悠地如移明月影，

姍步兒走來,和着我的琵琶韻;

姍步兒走來呵,和着琵琶韻,

你悠悠地投向我的懷中。

但怎地,當你聽了我的一陣緩急的哀奏時,

你便蹙眉動心?

是你說:"罷奏了呵!這琵琶特撓人!"

真的是你的頭兒,爲甚麼突地怔忡,

仰望了天心?

"是天心,並沒有個我的影;"我嘲笑你,

"是天心裏可還有個你的愛人?"

你被我的生剌的諷示刺痛了,

你便又低頭兒滾入我的懷中;

你笑了,說:"有一段生香的祕史,

要從我的嘴裏說出呀,

才能送到你的耳中。"

是我便狂喜,便驚欣,

我真將聞我所未聞?

94   瓢 上 曲

便請你個香人呵,說呀——

琵琶聲暫歇在我五指中。

你便說:"你知道麼,隊長?"

——這"隊長"好親愛又好陌生!——

"是在我們的未遇時呀,"你接着說,

"誰給我們排出了愛的迷陣?

"不是借重了你這一把琵琶呵,

"我的心不會下落到你心!"

——可是這個不眞驚死了我!

——我怎地不感謝這琵琶的聖靈?

——爲甚麼我還在悶葫蘆裏呢,

——白負了我們媒妁的苦心?——

——是我的 琵琶 怎樣玲玲 琮琮地震 動了你
心?

——是你的心怎樣迷迷濛濛地引入我琵琶聲
中?

——可眞是吹簫引得鳳凰落在梧桐上?——

——我沒有相如的琴心，你倒有文君的知韻？

你便又說了："是那日氣爽又天清，

"半空中沒有一朵彩雲，

"我私自走訪我的隣伴呵——

"隔壁兒你的對門。

"天呀？那來這一陣陣的絃音！

"這聲聲的香韻呵，

"賽過深谷裏小溪流墜的琮鳴！……

"我便一陣陣聽取，一陣陣動心：

"我想了：這顆無奈的心兒呀，

"爲了甚麼軟癱酥醉的呵，

"這樣搖搖不定，搖搖不甯？"

—— 是你的脚已經落在我的琵琶聲下了麼？

—— 是你的心兒只聽見我的琵琶聲？

你說了："那琵琶，牠個勾魂的使者呀，

"牠爲甚麼那樣陰鬱低沉的在牠的絃外，

"却又那樣熱烈轟動的在牠的內心！

96　　　　　　　　　　　　　　湖　上　曲

"又爲甚麼那樣煩亂而恨惱呵，

"好像正把一個最大的俘獲待等?"

——可是你，不正是一個俘獲呵被牠待等?

——可是你，不正是已被牠勾去了香魂?

你說了:"你爲甚麼又彈出愛情的唱和呀，

"一支深閨裏騷怨的詞文?

"你武士，你英雄的隊長呀，

"心坎裏可也還有我們這女孩子家心?

——呵呵，是你的孤夢兒都消沉自己心?

——是你在 想有誰 可代你訴 出了不 雪的幽
　　恨?

你說了:"嫁得一個丈夫來 ── 丈夫又算甚!

"我便不知如何締結的呵，我們的同心!

"只憑他一個冠冕堂皇的名義呀!

"便可能壓死我作人的全副心身?……"

——是你將把這勞什子擲與東風?

——是你將把這癆病蟲付與東風!……

——看今朝我們赤裸裸的生涯呀，

——還有否甚麼名義和名分！？

你說了："是我的心兒半生沒一點快活享用，

"是我的眼兒呵，一世未見得半個豪俊！

"是我心兒委屈，正如你琵琶聲韻，

"是我的一身呀，今朝便要委寄於這琵琶主
　　人！"

——是你的腳步便這般沉重移入了你的鄰家
　　門？

——是你的魂兒呀，便不見了，飛入了我的心？

——是這樣，你幾日來便都神醉在我的琵琶
　　中？

——你的蹤跡兒呀，便無時不過從於我的對
門？你說了："當我的耳邊每次充塞了那琵琶
　　的聲歌時，

"我的心無往而不舒暢地臥倒在你心。"

——正是呵，你的全夢已引入了我的琵琶夢，

————你愛琵琶呀，將如愛一個神異的神靈！

你說了："我不愛琵琶呵，我是愛着琵琶的主

　　　人！

"這琵琶的主人呀，我想，他可是怎樣英俊？"

————羞呵，於是你的夢想便結成了你的病，

————而久久，今朝呵，才換得來我們的同心！

❀　　　　❀　　　　❀

❀　　　　❀　　　　❀

多妙呀，你的詞鋒，多嬌呀，你的用心！

這一段隱埋的香聞呵，我幾被隱埋不開！

可是琵琶呀，我們的心的心！

我們都來撫抱牠一下吧，感謝牠一下吧，

牠這好人呀，才是媒妁中最好的人！……

我今請再給你彈一曲"琵琶行，"

使湖水天光都相證了我們的愛情；

相證了我們的愛情是締結在琵琶下呵：

琵琶心便是我們的心！……

湖 上 曲　　　　　　　　　　**99**

永久的愛呵，永久的生！

永久地締結了同心！

任天光湖水和我們一雙人兒，

都聽見這琵琶的永久的聲聲香韻！

　　　　　　✳　　　✳　　　✳

是天上星兒巳映着牠們的睡眼了，

是湖水巳閃出了牠的睡容。

我便誓將這琵琶奏個終俊呵，

問一聲："愛人兒呀，你可將睡也將聽？"

十四

又是那一日的正午中？

我的心兒呀，為了你甘蜜地思尋？

"是我的人兒那裏去了？，

混混的天和地混混的我的一心？ ——

何處尋？我張開兩手無往而不摸空？

是空中亂飛了夢的胡蝶，

是胡蝶又化作情人影——

可是我抓抓抓抓一空——

有誰在笑我，"強盜呀英雄！？"

我只是眼前不見了你人影，也便忘去了戰爭。

我只是一個人，一個人呀，

一個鍾情愛於你的一個魔君！

湖 上 曲　　　　　　　　　　　**101**

我眼前撩亂着想思夢，

騎高馬，撲長途，我向寨外行。

我走着，紅日高懸我頭頂；

我走着，長途安以似死者心；

我走着，我心如將撲去一光明；

我走着，我的情如可在對面呀？那個村？……

我帶領，一些人衆，這人衆便是我的紅影。

也似你呀，情姐姐，也似人類的精靈的心。

我一躍馬肆狂奔，路途平倒在脚下，有如屍
　　　身；

我躍馬飛心，飛奔過屍身的核心，

衆兄弟也如我的影，永遠緊緊貼我身 ——

這便如一股惡的風呀，

飛來了，飛來了，飛來向情者心申。……

我怒馬兒狂奔，你的人兒驚動，

“那是强盜來也！那是英雄的大兵來也，’——

是我說地驚死了人，我何曾有呀，强刧的心？

我何曾會嘲笑一般性弱的老幼婦孺，

和他們作玩開心？

而且他們好像已經忘了我的，

昨日的衛護他們的舊恩——

說什麼舊恩？——

我只消祝福他們不要驚心——

我來訪我的故人呢我的情姐心，

干甚麼驚動了四鄰？

我也趁此再把胸懷訴——

二十世紀那有什麼江湖上的英雄？

我不過，一個年紀輕輕的學生；

年來，而且作着愛國夢；

再壯年，我不幸還作官裏人——

進一步我才聽聞了的未來世的福音。

呵呵，那個未來世的福音震動着我了，——

便因此，我被激怒了，我落湖心，

湖究竟藏着我的未來的世紀夢——

湖上曲   103

我如何不能一快心？我如何不能？——

我如何不能把世界打造出一片光明？

便是殺人越貨之名我都擔得呀，

只早照我的紅日東升！東升！……

我的紅日東升時，

我願作一個犧牲，

背負了人類的罪惡，沉入海底。

我作戰，願與撒旦戰！

誰是撒旦呢？

我真的如見如聞！

我早就捉得牠的影子了，

只是沒捉得牠的真身。

我在此時要拚命，

爲人類，爲自由，不得不在人間裏，

打出一條血窟窿！

咀咒我吧，你冷心的朋友們！

也把我列入撒旦之林——

我之多情縱埋沒，總永沉，

可是我的志達時，我什麼都安心！

要取我的真生命，真心影，

你還得遠迢迢走入我的小孩子夢中，

在那是，我簡直是一個女性，

完全的溫和呵完全聖明……

可是此世才太不溫和而重臨了，因之傷我身，

因之傷我身，傷了我心——

我遂一變而成男身——

我一變而跳起，我也是，一位戰神！

哈哈，我多麼天真而勇！多麼天真而勇！

便讓你們咒咀我，我何難追得我自己心？

我上負神明，神明死了，我心獨存。

我俯視世界，飄飄者飄飄，呻吟者呻吟……

從呻吟的聲裏，你以爲戰神便都是撒旦麼？

撒旦呀，你這無賴的，你竟也假了我的大名！

湖上曲   105

痛心又痛心！……戰爭也爲了和平，

戰爭爲了我們的衆民衆，

爲自由而戰，爲多數人民而戰，

我們反對幾個惡的神！

我們正是和撒旦對敵呀，——

你淺視者莫視着一槪相同。

那撒旦可不爲了我們，怒牙切齒地，

在想抓得我們的肉身？而且用一口，兩口吞
　　盡？

莫爲了我們的戰爭，流彈燙了你們的皮毛，

便連皂白不分！皂白不分！……

你們的永遠的咒詛呀，我可是你們的咒詛的
　　果實，

終是甚麼溢出戰外的和平？

還不是頭腦兒都落得割去乾淨淨？——

可也不用再罵我了呀，"提倡戰爭！"

且撇過這無用的告白文，

106　　　　　　　　　　　　　　　　　湖上曲

我已經照見遠遠地一個人影！

那是我的情姐呀，我的安慰的心，

我一生只有她知道呀只有她愛而且恕，

諒解了我的全心。

我的馬橫奔，已馳過了，一條長堤，

一個大村——來到了，來到了，我的人的門

　　　……

是一個我的人兒，我從馬上看見她，

她手提一把廚刀，在向魚腹鑽弄。

殷殷的血流，赤染了她的兩手……

那是一雙血的手掌呀嚇人呀，可愛的血紅！…

　　　…

是她猛地抬頭兒向我一怔，

鋼刀一擲寫炸裂的脆聲……

飛來了，她的苗條的神影身。……

她的一雙血掌兒，不顧忌地，……

勇敢地一下攬住了我的怒馬的繮繩。

喝一聲彩，衆弟兄呵一聲，都驚異她比馬還
勇；

我從馬上跳下來了，我如飛落了一朵黑雲。…
…

我是在黑雲裏對她早早地輸出了紅的笑，

早早地已經輸出紅心……——

讓沒有眼睛的心，永久詛咒我有的黑心！——

　　我們相視而笑了，她是從容又從容。

血的兩手，攬着馬繮不動。

我笑說——"你眞英雄呢，女子呀弱人！"

她笑了，只是笑了，並不囘答，她說——

"進家去一歇呀，我的，——人！"

那午日已照紅天空，——我便悠悠地移入她
的懷中。

我們便在午陽下作夢了；

"永久的愛情！呀，永久的愛情！"

十五

在湖上，我們可把甚麼大道執行？

我們大道呵，是一條"人心。"

從沸熔的人心裏，噴出我們火雲似的愛情——

卽使是憎恨呵，我們也是爲了愛情而　恨！

唱革命，作戰爭，殺人越貨都肆行——

可是我們所殺所越的呵，

他安詳的處士們也知否是甚麼貨和人？

湖山四壁千里風行，

夜無盜賊呵晝無惰人。

雖湖水已沉滿了富豪官閥的朽骨，

四湖濱萬姓的草木，枝葉未驚。

堪羞我自擬是"爲人類的一人，"

湖上曲 109

我那怕巧舌者的雌黃搬弄！

我心非奸雄的盜世之徒呀，

誰來把帝王冠向我獻呈？！

我的一心兒便是民衆心，——

因爲我本出身自民衆。

今朝我走在非常的路裏，

志成時還我的身白心清！

據湖山，我姑且行我一心之所安行，

我猶如野火燃紅於夜中；

我將否見到東方的曙色呵，

飛起於三唱後的鷄聲？……

據湖山呀，我的愛人，

我們已享受過人間的崇高的幸運；

爲你人，我幾乎日夜都作夢——

你人呵，也爲我春醉沉沉？

便是這世間呀，男女都善相愛戀，

我又怎能不將我們的愛心呵，

相通了人類的愛心？

可是江湖自古忌女性；

豪客的變相便現獸形！——

我乃破天荒頒布了江湖的公律呵：

"愛戀任自由，可不容強姦愛情！"

可是那次那妄人的暴行，

你也還幢憬在心？：

他為了強姦一個幼女呵，

刀殺了女郎的母親。

是我兩次命令出我的威嚴的使者，

使者不還，兇手不獲呵，湖濱刀槍動。

是他殺死了我的命使了，

是他坍塌了我湖山的令聞！

是他呀，他呀，違叛了我們衆心！

我怎能容忍又容忍——

容忍這根惡草常茂於苗心？

我便一時怒動，又加一時怒動！

湖上曲　　　　　　　　　　　　111

"强姦愛情者！殺人抗命者！

這猾賊不除，可除却我心！……

我恨恨撇下了你，呵愛人，

我離開塞門向湖濱追行。

我將生撲此醜賊呵，

給大衆們快心！

我，行，行，行，獨自行湖濱，

飛也似，隻身撲向兇手影。是夜了：

我飛也似行，轉眼消失了自己的雄影；

是手頭的銅刀兒，正晃晃地映着月明；

我飛也似行，月明照在我頭頂——

兇影在前閃動着我誓把她執刑！

在堤上，我獨自飛行，追行，

飛行，追行，似急矢之追風。……

天上的明月蒙住了白臉子，

湖中的綠波兒牙齒在震；

是面前，百步外，正出現兇身影：

　猛可地兒影矯捷地一躍——

　躍入了長堤下的小路裏隱身。

　是我呵，應躍也一躍，躍落堤下呵，

　輕如雀，斂翅，狠如獸，伏身，

　一直飛行地暗襲，突飛向他背後的腦門。

　是我，一轉瞬，輕輕如一朵飄雲，

　降落到，降落到，他陰暗的背心……——

　生命如火滅，

　赤血如水滾，

　只聽得赤的一聲的痛震，

　早結束了他無常的生命！

　可我便突然也心震，我自問：

　"我可不在草菅人命？

　一個強姦者呀，容受呵甚麼罪名？"

　這污血正流到了我的胸心！

　這污血正流到了我的頂心！——

　我的頂心呀……不解的頂心！——

我在想："自己也何輕，他人也何重！——

是他爲了自己的樂生呵，碰傷了他人的樂
　　生？"

這混沌的人生呀，可有甚麼條律和軌輪？

我悠悠如夢，又如狂風，

從月下歸來，月明仍照我頭頂。

我自笑"自己呀，何混沌！

還執行甚麼公律呵——愛戀的囚城？

可今朝的死者呀，不是寃魂麼？——

爲甚麼他的白熱的殷紅的血呵，

應該流在自己愛的祈求的夢中？

是我的妄行？是人生的妄行？

而今一朝呵，死了四個無辜的衆生？！

她，老媼他們，我親愛的弟兄，

他，我的好漢，我的不幸的運命中人；

都死了，都死了，碰了這不解的妄行的大釘；

　　……

我歸去，瞥見我愛人，我憂傷呵！

我憂傷，如一個無依無主的鬼的漂魂；

是你溫溫問："你可成功？"

我說了："我心痛！祇願我的湖山呀，——

唉，這矛盾的人生！——祇願我的湖山呀，一

吞滅那——那些大蟲！大蟲！……

再不見一點'赤血，我的同類的，同心的，

相爭着流呵，鬥呵，映入我的眼睛！"……

這一次鬥殺痛我心，

我願將湖山換--個答問！

一擲了百萬官兵的生命呵，

那抵得今朝三四條血屍傷心又勵心！

天呀，你讓我的湖水解答我嗎？

你輕飄飄的！——爲甚麼？

爲甚麼，我執行着人心，

我又懷疑這人心不盡相通？

是幾時，我們的人類的心才盡相通＇

泯滅了痛苦，猜忌，爭殺！……

相共了滿足幸樂，慶生？……

唉也唉，這黃金世界有踪也無踪？

這黃金時代呀，有踪也無踪？

論愛戀呵豈無相通不阻礙時麼？

沒有了性的桎梏時相溶了寬恕之心？

罷也罷，我願求這個時日到臨，

我湖山變作了愛的象徵。

十六

又過一日，漁家共唱"捕大魚行，"

"肥魚似山頭呀，千丈橫行。"

攪網江河里，佔據了半湖心，

嚇死了水底萬衆！湖底生靈！

我正撐着小划子在湖上游行，

也想呀，在眼前觀賞一個偉大的魚鱗！

那正是我們的思想和我們的行動——

擺海搖山的呀，水底潛神！

我正缺乏了一滴生機，

因爲那，昨日夜裏太完了生的苦悶。

我想借鮮鮮的條大的生魚呵，

來活潑我一下的久蟄伏的心靈，

是昨日在呵，我，我，我，夢中的我呵，

從人間曾走向天上，從天上又走入人羣——

人生只有一夢呀，什麼又是實際的生存？——

上帝告我說歸來吧，皈依了我們的主！"

人間的孩子們也說，"來呀，你們握手同行。"

更見過些街頭的疾苦的民衆，

更見過些弄堂裏的妓女們賣情。

我也說"皈依了我的主吧，捨去一切戰爭！"

我也說"與孩子們攜手了吧，遠離開人類中的
　　　蟊蟲！"

都只因痛心太痛心，

幾年來赤血橫流呀，才說不盡人間點點汚行！

恨如今，倒不如一擲了往日的宏願與壯心，

飄飄然臨空呵，怡怡然邁行呀，

投入了上帝的安樂的撫抱和孩子們和平的游
　　　羣。

這可不是眞善的生存呀，

極頂的究竟的人生？可是我怎能忍——怎能

如此忍心又忍心！我便突地想：" 我還是永

久爲民衆作戰士去吧！

"立定！立定脚根！不見呀！

"不見那，妓女們的肉體，已被慾狗生吞盡？

"又不見，那民衆們的瘦身兒枯如一把柴薪；"

誠哉，誠哉，剛才我的靈魂兒混亂過了呀，

我的定心兒搖動！

那一刻的操守是已經屍倒而沉淪，

那一刻的行爲是飄渺而無蹤！

我曾不知我的頭上應頂禮的是那個主人，

我的手中還應該放下屠刀並把屠刀弄？——

可是我的心今又轟然裂焚！

恨眼前還仍是蟊蟲們的惡行獸性；

那里的金錢富家兒蓋起了金屋，

那里的人肉，官家兒搭起了肉棚。

而反面——平民百姓們呀

又那一滴汗血不被搾用，

那一條生命不被撕吞！……

我終不禁在混亂後要問一聲：

你古代的英雄浮士德呀，你大聖人！

你當時的夢兒呀，怎戴在我今天的頭頂？

你當時的夢兒呀，可怎地濃濃？

又何從這怎地濃濃之中呀，尋出你的"究竟？"

也聽述你的"究竟"是一個"和平工作"的觀念
　　　呵，

可是今日我如主張了戰爭，也合復不合呀你
　　　的和平？

我剛才方在這"究竟"之前呀，

我混亂到無心——

我雖被恥笑了，

然我也如不聞——

我不問人們的心——

我只問我心，——

我心之所安呀，我便勇敢執行——

我可是剛才東不着店，西又不着村，

南又遇荒墳呵，北又遇屍身……

我尋不出一條路來呵——這因我真的要尋！

到底有什麼魔鬼可來把我導引？

那些路子，多少歧路呀，紛紛亂軲，

我曾弄得了臭汗滿身，無力地不值一文！

我曾沒有一隻强悍的腿了，我曾沒有一顆寧
　　　靜的心。

我可是有了誰來，經過了這樣不安靜？

罷罷罷，我一刻便要逃出來了，或者可說那歧
　　　路，

我已經走盡——總歸是我已往來，

在我的一條路中，我只留下了一些罵名呀，

同志們的嘴上變作了笑聲……可是你浮士德
　　　呀，你人類的心的全象徵，你可也笑我一
　　　聲呀，"你這混亂的人？ 你不會在你的同

情的智且恕的心情裏掏出一隻溫和的手
　　來，

向我曰曰！"攜手同行？"他們些個安心的人！

革命的同志——大聲說"革命是鐵的！

沒有混亂的思想經過一陣。

他們為人類，為自己，我們都不管他們心，

他們是已經安心……——

已經！但那些的鐵板的面孔

請他勿再再向我們搬弄……

有朝一日，一個小小的失意，

也許會沸翻了他們的全身……

但只我只有寬恕和同情——

我將不會飛出一朵訕謔的笑容，

我將雙手兒撥起他們來，使他們認識我的究
　　竟，我個究竟……

人生也，人生也，原一夢，

不是胡糊，是怔忡，是多情，有心……

122　　　　　　　　　　　　　湖 上 曲

這在我今日清醒了，我稍覺窓空，

雖然我已安心於我的有軌激的工作裏：

我將爲人類溝一點心血，日早以至黃昏，

從今日以至明天，從明天以至無終，……

"稍稍安心了"我自讚，"有戰爭救了我！"

可是呀，我已經虛耗我十分沸動的生靈的心！

我所以想在此觀賞一條大白的魚了，

巍壯巍壯呀，我心這一下，我已經捉得了，

我捉得一切精靈。我看見人類的生生之影。

我看見人類的血紅的心，

並那些黑色的罪惡，崇高的獸行……

拿金錢熔鑄了的人形，

拿肉慾解剖了人心 —— 唉呀，一個獸心！

但沒有剖開時，也沒想再求新生——

不把毒氣放盡了，你遏抑了牠，

你也只獲得一個悶死，半事無成！

與你的扭捏的心下，你作儔地放出了光明，

那才是些鬼火和螢燈！……

我便要挾着我的女英雄呵——

我怕甚麼英雄之名？——主張戰爭！戰爭！……

今日來到了湖畔，觀一條大白魚來了，

我的壯生呀，壯生！……

那是我又在岸頭行，

遠地裏我已經瞥見了我的愛人。

你溫溫的女神之身影呀，

這上面嵌了兩顆如電的眼睛。

我們常把你的眼睛來當電閃比，

閃閃地光亮着多麼有勁！……

你也常把你的眼睛閃閃呵，

對我拍出面前的電閃之影——

我從遠地裏已望見電閃了！

那是你的眼睛呀，愛人！

我呼一聲停船，"看我們的女神來也！

上前接去呀，弟兄？——"

我的兄弟們便應聲飛去了，

刹時節你已飛入我的舟中，

我們撐舟中把漁場游行，

多少的豪壯之氣呀，吞入了我心！

我只覺得已經飽滿了，挾了一個女神，

更一時忘去了戰爭，一時並忘去疾苦的民衆
　　　——罪過呵，

戀愛便是這樣胡行，任我的兄弟朋友們笑吧，

戀愛有時也昏迷你們的心！……

是的，沒戀愛也沒有生存，沒毒恨也沒有人生
　　　——

因爲過去的歷史呀，至少是未來半份說明。

眞眞的，實實的，我不是激狂——戀愛與戰爭
　　　裏，

都來陶醉也，我的朋友我的弟兄！……

而且呀，我的愛人！……

我今要把頭兒飛，也讓人類得和平，

湖 上 曲　　　　　　　　　　　125

可要誰給我保證，人類終久可和平？

到底徒勞？我的哭泣呀，徒勞了我心！……

正是眼淚已經不會感動人！

恨當初我是戴着淚冠的一詩人！

詩人遇世人眼淚都不感動，我奇異這眼淚的
　　　無用？！

於是詩人變英雄！

提起這二個字才傷心！我今不過來作硬心人，
　　　鋼刀頭上飛血紅！……

可更有往時的人兒們說，"你已經發瘋！"

我便單單賣弄這發瘋呵，給發瘋的人！

我自己站得脚根兒定！我自己站得脚根兒穩！

可又聽見說，"彼昔日是小胆呀。無勇無能！

"我今日可已雪恥了，作了湖上英雄！——

站據了八百里湖心，

"愛人呀，你看望那湖波頭頂，

"白浪兒飛起如捲鬚，銀雲。

126　　　　　　　　　　　　　湖上曲

從那里魚鱗們被捕捉了，

有如人類中的狗羣的一網打盡！——"

我在想：他們的惡貫滿盈，

也怎能一網兒打盡：

從青天以現紅日，

從黃昏以出清晨？

我只是也如一般夢中的人呀，

爲了這個好夢我正當心！

我當心地祝福，

我當心地戰爭，

我當心走往走來呵，

途中貢獻了我的一生！

我也曾自己笑一面：

"自己呀，才混亂——而終不願混亂，

而終行行行—— 爲了一個混亂的高頂

——人類的心——也請問你安心的人們呀，

有什麼理由安心？那也不過自己快慰在一個

十七

是一朝湖上戰爭生，

我一身兒當衝！

衆兄弟奮勇似雷風，

我捲身在雷風的當中，

在敵人的面前——

我殺人了，人也殺我了——

我左脅下，已被長矛穿了一窟窿，

我猶如發狂似的野獸，直前力奔。

在我的刀下呵，人們的胸膛劃開了，

頭顱兒也飛奔；我的刀飛着個圓圓的雲。

我殺奔，殺奔向人類罪惡的抵抗裏，

從殺殺以求一平平。——太平我的大夢！

湖上曲　　　　　　　　　　　127

　　無聊裏──通是無聊──連我的上帝，
　孩子，
　──你的和平工作──正如躺身一個
　妓女的身上，一個膩膩的肉潤。
　因爲你們，你們也是圓點的身體的安樂呀，
　外套，皮鞋，滿身。──
　正不必多議論。人間只有革命與愛情，
　我想我的浪漫呀，我的多情，
　我們已相共地看見了魚網撒在湖心。
　是那時大魚從網中捧出了，給我快心？
　我的愛人兒，猶低唱："落花夢。"

是敵人已鼠竄狗奔，

我狂瘋了，全身染着血紅——

我歸來自陣中，

兄弟們扶我到你的家門。

呵，我的人生之戰裏的良侶呀，

人類的萬古的愛情之神！

是你微笑不嫌心痛？不嫌心驚，你微笑麼？

勻韻的腳步，移來我的面前，如走着風。

我是瘋了，正在瘋之裏，如狂的風，

一切已經有些蔽塞了，迷了呀，我的眼睛。

我的渾身兒血淋淋——赤染的可怕呀，

你的眼睛爲甚麽猶自溫和而安祥而淨明？

你便如一個先知者，看一切都已鑄定，

你曾經戲對我說“不幹了吧，這營生！”

可是我當時怎能呀，我四圍都是敵兵！

我不殺狗狗咬人；我不造反世界永不平！

你便也再無聲—— 如一個先知者聖明。

130   棚 上 曲

我而今滿身血戰，血兒跳動，

歸來時你猶如見咋夜夢裏人——溫溫又存存。

可我不見你的影，我的眼睛已失光明。

我昏黃似的聽見了你的言語，

"給你脫了血衣，"你說，"洗一洗罷。"

我便突地大發雷電，大怒罵你，

"做甚麼？我要殺你這無用之人！"

我真的怒了，我不知道這怒的原因——

這便是人生，人生，給了我的重贈——

我瘋狂，完全瘋狂，野獸樣，我的一心，

可我 還知道甚 麼 上 帝心 孩子 人 類心眾生

心？……

我知道的只簡單的殺 殺殺……

——這便是呀，人生，人生，給了我的重贈！

我可能被什麼的一顆聖者心兒驚醒？

可是你的光照臨我了，

那是你的特有的光呀：

湖 上 曲　　　　　　131

　　聖明的，和美的，溫溫的一心！

　　你沉默寡語裏，說出這樣的話：

　　"可是殺了這多人，"猶不快心？——

　　你的臉上推出月明似的笑容

　　"要殺我，也等待我給你洗完了你的衣上血，

　　　　落個乾淨。"

　　你並不怕害怕一切，你也不驚動也不懷疑，

　　你有那樣鎮靜的聰明！那樣鎮定裏的聰明！…

　　　　　　……

　　我驀然如酒醒，夢醒，瘋狂醒，

　　我消失了獸心！我重現了人心！……

　　我立地跪倒在我的愛者的身旁——

　　我如跪入你心！

　　我完全懺悔了我的魯莽冒衝……

　　我如何幸福呵！在我的面前：

　　有這樣一位溫和的女神！全聖的女神！

　　是我們的愛情又救了我了，

132　　　　　　　　　　　　　　湖上曲

你也得着更幸運。

因爲從我的靈魂裏呵，

幸福呵，—— 脫盡一切的罪惡的幸福之念呵，

已流入了你心 —— 更添滿了你心？

呵我於是抱擁，完全如一個和煖的熔熔，……

自我們的心下，萬物在生，……

天地與鬼神，都現我們人心。

這樣的光明的時辰呀，

人間，世間，歷史，無終 —— 大的時間裏呀，

可有幾次轉行？幾次轉行？……

我們幸得此一刻的幸運！也值得萬年永生。

題名這一刻爲"春陽之方盛日"吧，

題名這一日爲"生生與心心。"

十八

我們的幸運方盛如太陽之掛正空，

我們的戰爭全個利勝——

霸據了湖心幾次殺退官兵！

我自己欣然作着大的夢：

是幾日，幾日後，人類再生？

是幾日，幾日後，聖明的甘略便完成？

也立呵也空，我的小孩子般兒夢！

沒有個整個的籌運與建設呀，

我想個理想的世界飛臨。

可是我這個孩子夢，已經到了破滅時了呵——

一聲天崩，哭死了我的雄心！

敵衆巳四圍來繞攻，

134   網 上 曲

官兵洶湧似雷風——

也不似雷風呀，只是他人多勢衆。——

為了一個強盜呵，

你官人兒，大動十萬兵！

只見那炮火穿來，

似叢密的森林——

森林自焚 ——火熊熊，上照着天明！

我們的湖山呀，已被敵人踏進！

蘆葦中的戰船兒們，都將蘆葦壓平！

是我們的巢穴呀，敵人已知聞——？

是我方佔據一個山埠平，

五百個壯士圍繞了我的一身；

我們的鎗炮也亂放射呵，

我們的火勢也橫行——

可是我們的命運的末日呀，

却何以也隨之到臨！？……

為什麼我們殺不退敵兵呀？

為什麼我們殺退了，又來了敵兵？

只見那敵衆的屍身兒壓沉湖水中，

我們的兄弟們也臥屍滿山叢；

便在我的身邊呵，

剎那已剩百餘衆——

可是這，這終夜的戰鬥呵，

昏夜的戰鬥呵已將屆天明？……

天上的星兒個個下沉，

明而暗，暗而又明的，

這天色無個定準！

是返光的迴照呀，——是迴光的一返照

定命了我們的定命？……

又見那敵衆們呀，

頭顱兒，黑壓壓的然似水平！

是我們的戰爭已決定了——

我們的命運已決定！

我仰天沉想，我無聲地哭死了一心！……

我的身旁，今只剩三五弟兄……

敵衆復猛攻，天色將屆明，

再不見我的援師呀，向天上飛臨！——

我可能一手兒撐住這下崩的天柱？——

我怎能一身兒衝散了這十萬獸兵？

是敵彈敵彈呵，已轟鳴在我的耳鬢；

我身前的敗草又灼灼地紅燃通明；

我可將一心兒毒狠，怎地平吞呵怎地平吞？

決死呀，我猶懷抱一鐵石的決死心，

決死在敵人面前，也值得我自傲自雄；

也讓幾年的湖山，不羞慚牠的主人 ——

但我怎能不生吞了那敵魁的首級呀，

我便死去靜靜？

最可恨才是我的部下呵：

不幸出了一位通敵英雄！

這敗賊呀！這敗賊呀！……

沒有他個敗賊呀，也放不入官兵到湖心！……

湖 上 曲　　　　　　　　137

正是我又怎能生吞了他的肺與心，

以祭一下我湖山呀，幽魂！

唉也唉，多虧了我們這個異心弟兄！

多虧了我們這個異心弟兄！……

也正是人類還沒有健全的行為呀，

莫想有個健全的世界產生！——

我便是如耶穌被賣了，

被了一個可愛的猶太商人！

我垂頭，炸心，也想呵：一頭兒沉入湖心，

了却了此世的灰爐呀！

也了結了這妄極的人生！

可是我驀地想："一舉不中時，再舉也不中？"

我於是帶着我的光靈的智慧逃跑了——

如一隻喪家狗，如一隻兒怪靈！——

我遺失了湖心！我遺失了湖心！……

我遺失了你呀，我的全心的愛人！

我的全心的愛人！……

138 　　　　　　　　　　　　　　　　關上曲

從此我離別了愛情，

我拾起了失敗的心印——

"我將走上什麼世界去也？"我自問，痛心！

我自問我的疑問 — 不解的疑問！

那日的天光特陰沉，

我從陰沉裏跑着來，再跑向陰沉中。

也似老天惋惜我的半生，

也似老天惋惜我的此心！

我沒有歸宿了；可是我怎能再留此一刻

任兇敵們快心？——

說起失敗誰都心痛，

只一個內奸阿，喪了我的湖山命！

我飛去也，飛去也，永無踪，水無踪；

我能否在埋蹟裏養成我的救世之能？……

十九

是那日湖山巳倒——湖山空作荒涼夢：

湖濱呀山麓，空空無人，靜靜無聲。

是美人空虛懷兩眼哀望湖山頂，——

是牠們呀湖波不與琵琶聲斷，山風不來，草也
　　不動。

人巳去也，留得失主的山湖悲慟！

人將去也，留得我的戀人兒悲慟！

向高望，茫茫天涯無線縫，

向前望幾處之外可有我的愛人影？

是湖畔一個小村，——是湖畔的芳隣，

我的失敗的脚印兒，向牠馳奔。

我會會着我那愛者呀，告訴她這樣巳醒的大

夢？

我會抱上了她，哭一個失聲！

我如鬼精影，飄飄引向鬼坟中；

是那里，我的愛人的懷抱，便是鬼坟。

我走去，走去，一陣陣頭腦昏暈……

敲門兒，先叫一聲，"人來呵，……" 我的音低

　　如啞聲，

我的脚步站在了一家門外呀，

我如鬼使來敲門，要勾引一個香魂。

開門兒出來了一女子，少小的英俊；

她問我"你可是湖上主人？"——

是我的姐姐相思死你！她日夜心頭作夢，

彷彿見着你的無頭之影——

她說，"此生不得見我的愛人了，

她日日過得不去吧，冷鐵樣無情！

她日日夜夜淚珠浴面龐，頭兒似死蓬……"

我"唉呀"一聲，"我便是湖上主人！……

是你的姐姐在那里？……讓我一見呀，我的心
　　心！"

我的言語全如夢，我的夢里全藏了悲慟。

我帶傷的獸性呀，已發瘋，已幽禁——

今我只落得飄渺的一身影，……

引我走上她的門，小妹子前行！……

我可是勾引了一個少女，

又隨我來去作鬼的夢。……

我行行行，……邁步兒行，如蹈着夢！

我身畔便是一個夢裏的第三人！

第一人與第二人呀。還未遇面的現身；

可已是在這夢的大邊涯上，

不相見已哭倒了的有我們的兩心……

行行行，我的腳步已跳入鬼坟：

是一聲"他來也，我的姐姐！"

一家的門兒內便撲出一個女人。

唉也唉，我的靈魂兒呀，你怎地首如飛蓬？

142　　　　　　　　　　　　　　湖　上　曲

驀地你，我的人，撲入我的懷抱了，如捲來一-
　　股狂風，
你只是淚流似侮，哽咽着，無聲……
也有聲，你是說："我祗……以爲……再不…
　　…相見了，……"
呵，我們相會在此了，在此了，
便在此末日的夢裏，最後的一個於會中 一-
我怎能再訴逑些剛勁的甜蜜的言語，
以安你心？以輕輕揭開了惡的夢？……
便盡此一夜，我得前行，一任你的
火熱的淚珠兒流到天明……
天明時，我們走上了兩個世界一一一
從此世界上的沒有相聚的你我了呵 一-
一對曾經遇戰爭與戀愛的中心的人！……
是你的眼淚象徵了悲情，一一
是你的眼淚流滿了面龐，
如清雨之打落花的中心，

湖 上 曲　　　　　　　　143

花面上滿綴了雨的珠明；

是洪水已漲入你心；

是洪水已泛出你的眼中；

是我的一身兒呀，

完全被了你的淚珠兒葬埋，禮送。

那些的往日桃花夢，

在天上？還在湖心？還在琵琶中？，

都已是破碎的了——如一片破鏡，

我們可能拾起了那些鏡片，

再照出我們的豔影？……

呵呵，那已是不必再悲慟……

我如有力時，愛人呀，我會給人間

都弄個月滿鏡圓，

個個雙雙走進天國的界岸……

男女們的愛戀，又何難到頭享用？——

今只是更破碎了"小己的自我夢，"

他日來，我會否糾合了同志的人類，

144　　　　　　　　　　　　　　湖上曲

擊鼓再興？ 再興時呵，我們的旗號特別分明
　　了，
大書着"人類的疾苦者，爲疾苦而戰吧！"
不再似站據了湖山，强作半舊時代的英雄‥
　　‥‥
那時節全地球的表面，都起了狂風，
我們是狂風中的一股狂風，
合衆力我們打攏來了，
併身兒打倒了人類的優生！……
優生者，特殊的享樂够時了，
是那日，便應他們倒戈——低首——下心！……
爲人類，我們都容忍一切；重寬恕，愛懺悔。
全人類從此都向天心跪拜，懺悔以往的惡行。
……便是我們的世界快成熟呵，快產了形，
祝福我們的呀，未來的末來的後後生生！……
今日的你的淚也可迅速收拾起了，
莫爲了戀念我一身，心兒常痛……

湖 上 曲　　　　　　　　　　**145**

是我們便從此分手了呵，

你說呀"我不珍重，你前途珍重！"

二十

江湖走遍了一個大夢的脚蹤──

我曾坐落一座湖山頂。

湖心裏我停下了未來的好夢，

好夢呀，如今又隨來我的飄流的脚蹤！

是伊人已經被官方捕尋，

是伊人已入鐵的牢籠──

鐵牢籠呵，牠未曾洵囚了我一兇犯的正身呀

──乃拘束了，一個弱女婦生！

聽說是她的供訴呵多強硬，

自稱不諱是"三年前姘識的強盜的情人。"

是敵方的眼皮駭動，喝一聲彩：

"好女人！好個強盜的女情人！"

他們都以上賓看待她了，不敢動她的髮毛一
　　根。
她可是已入牢囚，
孤仃仃地作着已往湖心夢？
她可是又在她的可憐的夢里呀，
去追訪她的萬里不見的情人？
這我呵，我個萬里不見的情人，
我那時又得共着她的相思夢？
我那時又得見她呵，相抱如一樹的帶淚的雙
　　枝兒兩垂行？
我如今不去會她呵，也許呵，此世呀，
也許呵，此生呀，再不得見她夢中的愛影。
我便擲去了頭顱，如何換得一愛人？
我便走遍了天涯，如何再尋她呀，
這樣一個溫和的女神！一個完全的聖明？……
可是她的牢囚裏的相思的憔悴呀，
不已經如秋來的冽風裏，捲着的苦影？

　　　　　　　　　　　　　　　湖上曲

是她的如花之容呵，不已經憔悴於秋風？

是她的一心呵，不已經——

不已經枯如涸井？不已經飄零了濃濃的香的
　　　夢？

是她呀，我個生生的生命！……

我不得再撫抱了！這離亂的人生！……

"是人呀，漢子！"我自罵，"你是人？

你如果是人呵，你當獻身於愛情！……

你當不顧什麼如秋草之萎黃的枯殘的生命，

你當走上你的愛者前隕身。……

你常自首了你的善志或惡行，

救出她個弱小的生命。……

我也曾打過了自首的主張，

我也曾中夜起問彼月明：

"可是我還怕什麼頭兒存否！

可是我便去會她到牢門？……"

是月兒也無聲，她不解答我的問；

我也不知道天上人間，可有甚麼相會？

是月神玉立於高空，是我在月下，

是我在月下，你在牢中。

對月呵，你也懷思：這月下有你的人？

可是月裏便是我心，她已飛臨你心中。

可是月神不是你？她已飛臨我心。

借月光我走上我們的舊夢，

我們的相愛，已歷了幾春？

我們的相廝守呵，正在戰場的湖心，

如兩柄鋼刀，一鞘兒插入，永久廝併。

似雙雁唳長空；似湖上，天心，琵琶裏，

都飄着月明。都飄着月明……

唉唉，過去的，過去的，香的夢！……

而今不怕怎硬心，到底眼前是一人；

一個人幻化了兩個夢 —— 在夢裏呀，

我終久也撲了個空；……

我去也，我去也，不飛向天涯，

160 猢上曲

飛向牢門！牢門內有我的百世同心！……

借問一聲她可痛心？她如說，"你死吧！"

我便立地隕身；也如天空長的慧星，

自太陽的光下，我收拾了兜纂身影……

便抱此睡不成夢，

荒野裏已放出山鳥的歌聲；

我孤宿在，露宿在，蒼天的夜下呵，

是已經過了一個長夜呵，附帶了一個黃昏，

冷露如親吻，親吻了我的嘴唇……

如！兩心，我吻着兩心！……

是列列的秋之夜的氣息呵，與我共鳴，

是草兒也點點和我作着苦之夢……

是地皮兒冰清，萎黃，灰白，我的臥褥呵，

我的一夜的坟塋……

大夜是我的安寢！大夜是我的東道主人！

一夜來，不成夢……

而今日頭已般紅，搖擺上山頂。

從這里望不見湖心影，

從這里望不見我的愛人……

我便去也，我便去也——去問牢門，

那個鐵鎖着的，我的愛者的旅舍的牢門，牢

　　　門！……

我扮作一少年人，一個俊秀的你的小弟兄。

我跟從了你的善和的老父他會善視我如生

子般的——我走上割頭如刈菜的兒鬼似的

　　　官廳。

我將以巧妙滑稽的戰術，

戰勝了世俗的眼睛。

我將從世俗的混朦的眼睛裏

進去偷望我的愛人。

借他們的光吧，借他們的光吧，

我已經又快幸福了：

她前來的便是我的玉人！

你如何不使我心痛！？……

在牢門外，我望見了牢內的你的影！

你的影，已經弱不勝風了，

你飄搖，飄搖，似個鬼影……

你的頭髮如飛蓬，——

飛蓬的黑影下，還飛出那雙如電的眼睛！

可是那些眼睛倦了，倦了，

在她們的邊緣上，簌簌地掛了滿盤的淚珠，

白的如銀白，赤的如血紅！……

唉也唉，我的生命！我的生命！……

是幾日的牢獄熬煎，重傷了你心？

不是呀，我也知道，是你在害着呵——

悲壯的相思病！悲壯的相思病！……

壯烈的愛情，壯美的戀心，

都使你從剛硬的掙扎裏，

保留了這一點柔柔的傷痛！……

這一點呵，溫柔的傷痛，

傷痛了你心！永久不補的傷痛！……

是我們的壯烈的往日已經完了，

今只餘一壯烈的末日來臨。

可是你我柔柔的相思，

才是初次來到我們心中——

這一點新的創痛呵，牠倒比一切可怕的縱橫。

我們是在千軍萬馬裏跑出，

然惟不禁此多情！……

唉也唉，此多情，讓牠去吧——

付與東風，付與東風……

我今要對你表白我的不屈的心。

是你的頭兒點動，

若有些不言不語的異義，隱伏你心？

你也不再作啼泣的囚徒了，

你已又生了溫和裏的聖心——

聖心裏，你又生了鋼胆，

你握着我的兩手，大聲說，

"去吧，你來做什麼？……"大聲說，

154　　　　　　　　　　　　　　　　湖上曲

"我永遠愛你的！無間往今！……"

唉也唉，你的手兒摸上了你的兩耳，

耳旁邊你摘下金耳環一雙，閃光燐燐。

是你說，"取此以作路上費用！

無間未來呵，我把你待等

有一日你來麼？有一日我死去麼？——

我死去時，見我心！"

你的壯淚已涔涔，涔涔，亂落了……

我心，如鋼刀攪心！我心，如鋼刀攪心！……

我立地跳出這天網地羅的陣——

我如急矢，我如風，飛行太空——

自離別了你愛神的影，

我們於今五年了呀，不相見也不相聞！

天長地久你我心！天長地久你我心！……

看日光，並月明，看日光，並月明；

湖山有夢，也在作着你我的同夢！

二十一

久別了，久別了——

你走來，那人！

你的步子沒有聲音。——

冰寒襲進我的氣息，

在這夜的荒原裏……

——在這夜的莊嚴裏呀，

你的眼睛閃着，

像紅的鬼火呵，

又像鬼的綠眼睛，……

——向上看！

—— 那是天麼？那是星辰？

但是————下面 --- 當中，這——

醞醞,醞醞……

轟蓁,轟蓁……

人類的心復生了?

——歡喜呀!

——我們總見我們歡喜的東西:

跳躍,震動。……

走來!……

你大踏步走來吧!……

——你完全是個山的影!

——你完全是個海的影!

——你完全是個黑暗的影!

你完全是我的——

久別了,我們的心!久久別了:

一顆熱沸沸的……——

冷靜呀,今夜!……

周圍:

射出水晶似的氣光,

　　　涼颼颼的冰的感覺呵……

　　但是，但是——

　　今朝的夜呀：

　　火在冰之心！

　　火在冰之心！

　　今夜——暗光的夜呵……

　　空大的野空——

　　空大的夜靜 ——

　　空大的人心——

　　空大的包容——

　　誕生，再誕生了！

　　那個蛋形！——

　　那個奇異的大蛋形！

　　祝福牠呀！

　　生！……

　　生生！……

　　再生生！……

是！

是！

有東西——

蛋裹——我們的愛麼？——！

波動呀！可怕的震動！

是？

是？

新的人類聲？——愛情？

新的心呀！！

神聖！……

親親！……

父與母

戀生——

奸生——

同情，一情。

走來！

擁進我的懷，

湖 上 曲　　　　　　　　　　　　**159**

吸我的血！

湧！湧！湧！

溶……溶……溶……

血流頭輕……

你的長髮，如絲結着冰；

光明的人！……

久別了，我們的愛情，

沒有私心愛情，

心便相通，愛便相同。

相同的人類的。……

我沒有遇見你，

在從前……

我空———而且作夢。

超特的相遇呀：愛！

從那日，到今日，

看那日誕生了！

看今日也誕生，

160　　　　　　　　　　　　瓶上曲

私會，

幽情！

千古，

無終；

今夜，

明晨——

萬化，

一心。

❀　　　❀　　　❀　　　❀

❀　　　❀　　　❀　　　❀

從我們之心裏

產有人形——

——瘋？

——發瘋？

人的嘴……

怕甚!?

——是馬桶!

無訛地他們罵

自己，不嫌疼！……

疼不上心！……

強盜？

英雄？

骷髏？

美人？

都由他們——

搬弄。

我今在 ——

這淒肅的夜裏呀，

還忘了傷痛。

因為 ——

那愛，在眼前

——憧憬。……

你，你人，

你的臉：

芙蓉！

你的笑，

日紅！

你的眉，

山青！

你的全腰肢，

海上虹！

無美的形容！……

你的手，

白玉彫刻，如畫影，

温温又如心。

又如湖水裏的聲音……

水心裏的顫動的影……

夜光，蛙聲，水嗎，草動……

一切你的象徵。

你美的神靈！

──夜！

湖上曲   163

　— 夜！

　——深深，

　——沉沉。

暗暗地——

有心，無心。

我們相會了，

相會了。

有情！

再生！

從明日再誕生：

人類的精靈！

從明日再誕生，

我們的新心，——

新的愛情。

　　❋　　❋　　❋　　❋

　　　❋　　❋　　❋　　❋

深的夜。

164　　　　　　　　　　　湖　上　曲

深的光。

深的天心。

深情的心。

牠幫助你！

牠們——

我也——

幫助你！——

接受我，

用你的吻：

香香，

馨馨：

積厚的，

沉沉。……

琵琶久無聲，——

今又生動——

明月，遠地，

沉着面龐。

湖上曲   165

玉美人，

天上——

她的脚下，

她可知有我們相並：

一對羞與牠爲伍的人？

借她的光吧，

她照耀得天

通白而明：

凄清，冷冷，

寒輝似水，——

熱望般心，——

她好個孤獨的女人！

——"莫要妬忌，我的月神，"

——"我們爲大家爭寵，"

我們向她說了吧，

我們是再生，爲了再生。

人類的，人類的……

166   瓶 上 曲

　　母親，父親。我們！

　　呀，月姐知了情，

　　她笑盈盈……

　　她把她的光

　　送給了夜，

　　又送給了我們，

　　——又送給了人類，後生。

　　深夜，四野明淨！

　　清暗的明淨！

　　四野無聲，

　　有韻——又有聲：

　　蛙鳴，水鳴，人心動。

　　喂，你人張開眼，

　　醒來，

　　看我一眼呀！

　　我是個異人？

　　我如今再認識了

湖 上 曲　　　　　　　　　　**167**

你是我的心。

天地是我心，

人類是我心，

心心是我心，

無分此一心。

假使我不愛你，

你的嘴唇不會再動；

假使我不愛你，

你的心眼會再明？

着了，愛的愛神！……

夜會將終，

天破曉，————

四野現清晨！

——清晨！

——清晨！

祝福牠一切幸運！

二十二

我的心懷兒不甯，我的歌詞兒詠吟，

我想見我的愛者呀，又巳從夢中消沉！

湖水上曾作過了三生夢，

湖水上也出現過舊時的英雄：

便是我翹楚之材呀，也曾儼作過主人翁。

今日啊，荒涼五載漂泊的光陰，

這人間，猶自血和血身兒碰⋯⋯

碰呀碰！碰到頭來可蹦出一光明？

陰森的世界裏，仍然高搭着地獄的帳篷！

憑我心：殺呀，殺呀，殺個人頭亂地滾，──

但今日，我可還不猶自飄零的一身？

我今囘望湖山頂，

湖上曲　　　　　　　　　　169

伊，美人兒，可還在旁邊作夢？……

呀呀，今世界我未盡絲毫的責任，

今世界，我猶在裏面飄沉，

我還是一身無主呵，一事無成——

何時節，才見得我們的安樂乘生？

是伊人勾去了，又勾去了我的孤魂，

飄零裏，我作下'湖上曲"獨唱獨吟；

唱到頭，我可不仍還我一空？

可我藉此進獻了我的心了呀，

——進獻給我的愛人！

但藉此也將引起了人們的嘲罵了吧？

他們說："甚麼是英雄並美人呢？

逗古墳中的骷髏呀，也特笑死人！"

可我何邊計較這些名言和偉論，

當代的人心呀，然是昏沉沉！

紙糊的冠兒儘愛在自己的頭上高戴，

骨子裏猶不脫猿髏猩猩精！

170　　　　　　　　　　　　　　湖上曲

笑甚麼草澤英雄！罵甚麼骷髏美人！

他們的革命與愛情呀，

還不卑劣似他媽的這條老根！

是他們盤據在人類幸福的宮中，

把革命與愛情都當作買賣推行！

為那里再去找我這樣一個傻丑角呵？——

那里又能不罵我是妄人橫行？

他們盤據了假面的更大的湖山，

又有什麼正義的火呵，人道的光呵，

熾燃了他們的心，他們的心？——

都不過自號英雄，作着皇家夢！……

　　　❋　　　❋　　　❋　　　❋

　　　　❋　　　❋　　　❋　　　❋

在湖畔，我祇祝望我的愛人康建幸生！

我們的好夢兒雖已水流了呵，

我們的大力量猶可新生！

再見時，我定取人類的全部安樂呀，

作我們相會的尊嚴的禮贈！

這隆盛的品物啊，可也許打動了她心？

—— 可也許復生了我們的愛之夢？

我今羞慚作庸生，

我可能努力於人類的志行？

從人類的志行之復活新生啊，

從人類的志行洗滌純淨，

我們得共爭得一個世界了——

一個光明啊——永生的光明！

我們且拿原始的人生的力量，

純潔的人生的感情，

放滿在自己心頭，

放滿在自己手中——

要努力，便取此放出！——

收囘來的呀，才不會像往日的

賤價的草澤革命！……

唉，說草澤汗顏了我心！

說草澤汙顏了我心！……

老時代的影子快移去了，

新的精神已經怒生。

看我們的孩子們呀，看我們的後生！

看紅日東升猶未升？

只等待你們呵：

有心的！有情的！有血的：

火，火，火！熱，熱，熱，人，人，人！

心，心，心！——相類的新的人心！

復活了，復活了，那個時辰！……

大世界只等待着這一爆發呵，

過去者已煙滅如影。……

鼓動我們的勇氣吧，立定我們的脚根吧

爲了人類，爲了多情，

擁護正義和人道作戰到無終，——

無終總有終，作戰到有終——

那時節，便讓我們人類的心心相印！

男女的心心相印！——

我將攜手再和我的愛者游行了，

游行於一個大飽和的夢中！……

紀念你，愛人！紀念我，愛人！

紀念人類的再生吧，

你我呀，愛人！——

紅日東升！——

紅日東升。——

　　　　　　　　一九二八年十二月六日完稿

即 日 出 版 新 書

社會科學及自然科學

行為論集（幾個心理學問題） 陳 德 榮
道路工程學 何 維 華
歐洲革命史綱
英國經濟史 沈嗣莊譯
唯物的社會觀 方 文 譯
經濟常識問答 周 定 宇
被掠奪的婦女勞動 丁華明譯
初級各科常識問答
永恆的愛 曹敬文譯
非戀愛論 謙 弟 編
革命青年之基本訓練 阮逍逸編

藝術論文及創作

有島武郎散文集 任白濤譯
法國文學史 蔣學楷譯
人和人開幕了（短篇小說集） 高 歌
淘濤的故事（長篇小說） 檀 德
湖上曲（長詩） 沐 鴻
光明的戲劇（獨幕劇集） 向 培 良

新 書 出 版

明日之大學教育	鄭若谷編	實價	四角五分
工資論	朱通九著	實價	四角五分
工運之囘顧與前瞻	米寅賓著	實價	四 角
合作的歷史組織及原理	郭競武譯	實價	六 角
狐狸的故事	蔣學楷譯	實價	六 角
機關	陸公英譯	實價	四 角
青春	蔣學楷譯	實價	二 角
點綴	荷㧸著	實價	三 角
留痕	蔣學楷著	實價	三角五分
革命與藝術	柯仲平著	實價	五 角
社會學概論及社會問題研究大綱	鄭若谷著	實價	六 角
男女白話書信	李刼生編	實價	三 角